朝日新書
Asahi Shinsho 930

脳を活かすスマホ術

スタンフォード哲学博士が教える知的活用法

星　友啓

朝日新聞出版

はじめに

スマホをポジティブに捉えれば自分が変わる

「スマホが脳を壊す」「スマホで集中力低下」「スマホはうつや不安症を引き起こす」

スマホへの逆風は止(とど)まるところを知りません。

しかし、はっきり申し上げましょう。そうしたスマホのネガティブキャンペーンは、これまでのスマホ研究の集積を度外視する、偏(かたよ)った見方です。

スマホを恐れるがあまり、科学的にも確認された数々の効果の恩恵にあずからないのは、非常にもったいない。それでは、絶対に、スマホ時代、AI時代を生き抜けません。

最新の心理学や、脳科学をベースに、スマホの良し悪(あ)しをじっくりと見極める。その上で、スマホを科学的に安全な形で使って、「脳のゴールデンタイム」を作り出すお手伝いをさせていただく。それが本書の目的です。

こんにちは、星友啓です。

私はアメリカのスタンフォード大学が運営するオンラインハイスクールの校長を務めています。世界40数カ国から、約９００人の生徒が学ぶ中高一貫校です。開校は２００６年。今年で18年目になります。

現在ではスタンフォード大学も含む全米の一流大学に数多くの合格者を送り込む、全米屈指の中高一貫校として知られています。

開校した17年前には、オンライン教育、しかも、中高生に向けてなんてばかげていると散々言われてしまいました。しかし、今では、オンラインにもかかわらず、全米トップの進学校としても認めていただけるようになり、本当に誇りに思っています。

これは日本でも同様ですが、アメリカでも子どものスマートフォン（スマホ）の所持率はどんどん上がっています。

小学生でもおおよそ3割から4割が持っていて、中学生になると7割から8割、そして高校に入ると9割の子どもたちがスマホを持っています。

YouTubeを見たり、ゲームをしたり、という使い方もありますが、学校で、タブレットのアプリベースで、リーディングの宿題が出たりもします。

また、親も学校の情報をタブレットやスマホから入手して、自分たちでしっかり管理をしなければいけないこともしばしば。そうでなければ、子どもの学習段階がわからなくなってしまう仕組みになっていたりします。

ですから、遊びもありますが、勉強の部分でもスマホやタブレットのお世話になっている。公私両面で、バランス良く使うツールになっているのです。

そしてこれは、大人の世界でも同様。

今や誰もが実感しているように、すでに、**スマホが良い悪いの二元論には意味がなく、日常の中にいかにバランス良く溶け込ませていくかが課題になっています。**

実際、スマホにはポジティブ面がたくさんあることが科学的に示されてきており、極端な場合に起こるネガティブな効果だけを恐れて、むやみに遠ざけるのはもったいないどころか現実的ではありません。

それだけに、近年、スマホに対する一方的なネガティブキャンペーンをやめて、どのような使用がポジティブで、どのような使用がネガティブなのか、見極めていこうという姿勢が世界中で広がりつつあります。

スマホをポジティブに活用する。そのことで自分の頭も心も良い方向へ導くことができる。

最近では、脳科学的にもお墨付きのスマホ活用法が明らかになってきています。

本書ではそんなスマホでできる「脳に良い習慣」をたっぷりと詳述していきましょう。

主に以下の4つをご紹介します。

1 「インプット」：スマホだからこそできる超速、超効果的インプット

2「エンゲージメント」：集中力やマインドセット、勉強にも役立つ
3「ウェルビーイング」：SNSで周りとつながりハッピーになる
4「モチベーション」：スマホをやり過ぎず持続可能なモチベーションを

これらのトピックを最新研究の結果をベースにわかりやすく説明していきますが、読みやすさを重視して、参考文献は脚注ではなく、巻末に章ごとに分けてまとめてあります。

各トピックをより詳しく研究したり、エビデンスを直接見たい方はそちらもご参考ください。


世界で、スマホはどのように捉えられているのか。

なぜ、スマホが、脳に良い習慣を与えうるのか。

そして、どのようにしてスマホを味方につけて「脳のゴールデンタイム」を作ることができるのか。

アメリカの最前線から、詳しく、熱く語っていきたいと思います！

企画協力　長倉顕太
編集協力　上阪　徹
図版　谷口正孝

脳を活かすスマホ術

スタンフォード哲学博士が教える知的活用法

目次

第1章　知られざるスマホのパフォーマンス　39

スマホに使われずに、スマホを使え。スマホのパフォーマンスと自分のパフォーマンスを同期せよ。

第2章　スマホ動画は「インプット」の無双の鍵　75

「見る」「聞く」「読む」を上手に組み合わせて、スマホを最良のインプットツールにする。

第3章　スマホゲームは「エンゲージメント」の最強ツール　109

スマホゲームは、コミュニケーション能力や、認知能力、問題解決能力を高めてくれる。

第4章 スマホのSNSで本物の「ウェルビーイング」を手に入れる

利他的マインドでスマホのSNSを使って、
「心の三大欲求」をポジティブに満たす。

第5章 持続可能なスマホの「モチベーション」 167

「心の三大欲求」を意識して使えば、
スマホ時間を自分の理想通りにできる。

序章

天国か？　地獄か？　スマホの現在地

〈インプット〉〈エンゲージメント〉
〈ウェルビーイング〉〈モチベーション〉が、
スマホの長所のキーワード。

問題視されるスマホの影響

スマートフォンの使用に関して、世界中でさまざまな調査が行われています。

例えば、アメリカの調査機関「ピュー研究所（Pew Research Center）」などの調査によると、71％の大人が「子どもの健康への影響が心配だ」と語っており、60％が医師や専門家からなんらかのアドバイスを受けたりしています。

アメリカでは、0歳から2歳で57％の子どもがYouTubeを見ていて、3～4歳では81％、5～11歳ではなんと90％。

実に、60％の子どもが5歳前にスマホを使用しており、半分以上の子どもが9～10歳の時点でスマホを所持しています。

「子育ては大変になったか」と尋ねると、66％の親が「テクノロジーのせいで大変になった」と答えています。

18歳以上の大人は、世界平均で1日約4時間半、スマホを使っています。**日本は、世界**

に比べて少し多めの約4・8時間です。

大人に聞いてみると、42％が「スマホをやり過ぎている」と感じており、「スマホがなければもっと自分のパフォーマンスは上がる」は30％います。

仕事や勉強の効率だけでなく、スマホのせいで詐欺に遭ったり、トラブルに巻き込まれたり、自分のやる気やムードを下げてしまったりもします。

だから、スマホをやらない方がいいと多くの人が思っています。子どもたちへの心配だけでなく、健康面や仕事面への影響など、大人自身も心配しているのです。

エコーチェンバーが起きやすいスマホ

大人も子どもも、このネガティブなスマホの影響に、なんとか対策はないものか、と考えています。そしてその解決策をスマホで検索したりもする始末……。

もとより、いろいろな情報を広く手に入れようと、スマホでインターネットにアクセスしている人は少なくありません。

ところが、ご存じのように、ここで一つ「落とし穴」があります。

自分では、自由にアクセスできるインターネットの上で、偏りのない情報を手に入れようとしているつもりでも、**スマホのニュースアプリや検索エンジン、ネット広告のアルゴリズムは、自分がよく見るジャンルの情報ほど目立たせる**ようにできている。

そうしたネット環境の中で、自分と似た思考の人々が集まってくる場に身を置くと、自分の意見や思想が肯定され続け、それらがまるで正解であるかのように勘違いしてしまう。

いわば、同じ意見が部屋の中でエコーのように鳴り響き続け、そのことでその意見がより確からしく確信してしまう。

そんな現象を、「エコーチェンバー」と言いますが、まさにこれが起こりやすいのが、スマホです。

価値観の似た意見ばかりに触れたり、同じ考えの人たち同士がつながり、交流・共感し合うことで、特定の意見や思想は、ますます支持され増幅していく。

そしてもちろん、「スマホは良くない」と思うと、それをより肯定してくれる情報に次から次へと出会ってしまう。それが、スマホの「悪者イメージ」が広がる一つのメカニズムになっています。

ウェルビーイングをもたらすスマホ

一方で今、「良い使い方をすれば、スマホの良い影響が出てくる」という認識も、確実に広がり始めてきています。

先述のピュー研究所の調査によれば、子どもへの影響が懸念される中でも、大多数の人が「スマホは社会に有益である」と回答しています。

そうした認識の背景には、仕事やコミュニケーションのツールとして、スマホが経済活動に必須になっていることがあるでしょう。

しかし、それだけではありません。本書で説明していくように、うまい使い方をすることで、スマホが集中力を高めたり、学習効率を上げたり、認知能力の向上につながることがわかってきました。

さらに、スマホは私たちのメンタルにも良い影響を与えうることも実証されてきました。

つまり、スマホが私たちの頭にも心にも、私たちのウェルビーイング全体に、とても効果的なツールでありうることがわかってきたのです。

しかし、何でも、ものは使いよう。スマホのそうしたポジティブ効果は、適切な使い方や目的を踏まえておかなければ得られません。

例えば、スマホで人と人とのつながりというと、世界中のこれまで出会うはずもなく、知りもしなかった人たちと幅広くつながることで、心のウェルビーイング（幸福な状態）を手に入れるというイメージを持つ人も少なくありません。

しかし、実はそれがまったく逆で、そうしたスマホの使用はストレスや不安につながる傾向があることがわかってきています。

むしろ、**もともとつながっている人たちと、さらにコミュニケーションを強めたり、維持したりすることに、スマホはとても有効**なのです。

実際に、スマホがすでにある友達のサークルや恋人同士の人間関係を深めてくれるような状況は想像に難くないでしょう。

つまり、スマホは使いようによっては悪影響もあるかもしれないが、しっかりと良し悪しを踏まえて使えば、心のウェルビーイングをもたらしてくれる。
むやみやたらに使ってスマホのネガティブの餌食(えじき)にならないよう、科学的にも裏付けられた効果的な使用法を、本書でたっぷり学んでいただきましょう。

パッシブではなくアクティブなツール

私は2016年より、スタンフォード・オンラインハイスクールという、中高一貫校の校長を務めています。

アップルやグーグル、フェイスブックなど多くの有名IT企業の本拠地が軒を連ねるシリコンバレーのベイエリアの真ん中にあるのが、スタンフォード大学です。

ここで、最先端の教育とテクノロジーと向き合いながら、世界各国の才能あふれる子どもたちの学びをオンラインでサポートするのが、私の仕事です。

スタンフォード・オンラインハイスクールができたのは、2006年。設立から十数年で、**アメリカで注目される学校ランキング「Niche」において、全米進学校（College Prep Schools）で全米ナンバーワンになりました。**その他のメジャーな学校ランキングでも、全米トップ校として選出されています。

上位の伝統校がひしめく中、オンラインの学校が全米トップ校として認知されているのは非常にありがたく、校長として誇りに思っています。

この高評価には、もちろん卒業生たちの頑張りが大きく影響しています。スタンフォード大学はもちろん、ハーバード、プリンストンなど、名門大学への合格実績はアメリカでトップレベルになっています。


ご想像の通り、スタンフォード・オンラインハイスクールに所属する生徒は、オンラインの画面を通して学んでいます。

そのため、オンラインのハイスクールなんて大丈夫なのか、と心配される親御さんも、もちろんいらっしゃる。

授業にちゃんと集中できるのか？　ゲームやネットで気が散ってしまうのではないか？

コンピュータなどの画面を見ている時間、いわゆる「スクリーンタイム」が長くなってしまうと、子どもの認知能力や心の成長に悪影響があるのではないか？

こうした心配はスマホやタブレット、テレビなどについてもごく自然なもので、子育て中の親であれば誰もが気になってしまうでしょう。

しかし、スクリーンタイムに関しては、これまでさまざまな研究の長い蓄積があり、スクリーンを見るか見ないかではなく、スクリーンをどのように使用するかが鍵になっていることがわかっています。

例えば、テレビを惰性で見ていると、番組の内容どころか、何の番組を見ていたかさえわからなくなっていたりすることがあります。

これは、スクリーンの「パッシブ（受動的）」な使用の最たるもの。テレビからの発信を、ただ単にボーッと見つめている受け身なテレビの見方です。

それに対して、スマホやｉＰａｄでメールやチャットをしたり、アプリを楽しんだりする時は、画面からのインプットに対して何もせずに受け身でいるのではなくて、タッチパネルを通して自分の意思で何かを打ち込んだり、考えながら操作したりしています。

つまり、スマホやタブレットは、積極的に「エンゲージ（参加、集中）」することができて、**「アクティブ（能動的）」な情報のやり取りが可能になる**ツールなのです。

そして、いかに「エンゲージメント」が高いかが、仕事や勉強のパフォーマンスの鍵になります。

つまり、スクリーンやスマホ自体の良い悪いではなく、どんな使い方をするかが勝負なのです。いかにアクティブにエンゲージしながらスマホを使えるか？　それが、脳科学の最新研究によって明らかになりつつあります。

スマホのネガティブキャンペーンの現在

こうしたスマホのポジティブな可能性の一方で、これまで日本に限らずアメリカでも、スマホのネガティブばかりが強調されてきました。

いわゆる「ネガティブキャンペーン」。過去にも、世に出たイノベーションは、多かれ少なかれ、常にこういう事態に巻き込まれてきた歴史があります。

しかし、私たちが日常的に使っているスマホがネガティブキャンペーンに晒（さら）され続けているのを見て、「本当にそうなのか？」「それぱかりなのか？」「良い面もあるのではないか？」と思われていた人も少なくないでしょう。

もちろん、ネガティブな部分はまったくゼロではありません。しかし、ポジティブな部分も大いに見つかってきている。

だから、

「悪いところもあるけれど、良いところもあるだろう？」

「実際は、どっちの面が大きいのか？」

「どのようにすれば、うまくスマホを使っていけるだろう？」

というふうに考えていくべきなのです。

スマホの登場以来、実にさまざまな角度による多面的な研究が行われてきていて、メディアでしばしば見かける一方的なネガティブキャンペーンとは程遠い認識が広がってきています。

だから私は、**最新の科学でスマホはどう認識されているのか**、これをぜひ日本の方々にお伝えしたいのです。

「食べ物は体に悪い」？

それではどうして、ポジティブなスマホの効果がわかってきているのに、スマホのネガティブキャンペーンは根強く残っているのでしょうか？

スマホ研究の現在地を理解していただくために、この点を少し考えていきましょう。

科学的な研究というのは、その結果自体もさることながら、それをどのように解釈するかがとても重要です。

例えば、研究の参加者に油ものだけを3カ月にわたって食べてもらい、体への影響を調べたとしましょう。おしなべて、コレステロールや血圧で悪い数値が出てくるのが目に見えています。そんな結果が出たとして、「食べ物は体に悪い」と結論づけるのはおかしな話です。

明らかに食べ物が偏っており、違う食べ物、例えば野菜で同じ実験をすれば、コレステロールや血圧が下がり、「食べ物は体に良い」と結論づけられるかもしれない。また、3

カ月でなく1週間、2時間のランニング付きで油ものを食べた場合は、悪い影響が出にくいかもしれない。

つまり、「食べ物」というカテゴリー一般の良し悪しではなく、どの食べ物を食べるか、また、どうやって食べるかという差異が重要になるわけです。


これまでのスマホのネガティブキャンペーンは、油もの研究から「食べ物は体に悪い」と結論づけるのによく似ています。

今から遡るこ(さかのぼ)と十数年前。スマホ研究の初期には、実際にスマホで認知力が低下したり、心のウェルビーイングが失われたりすることを示す結果が報告されました。しかし実は、その逆の結果を示す研究も数多くあったのです。

科学的には、良い影響を示す結果もあったのだから、悪い結果だけに注目して「スマホが脳に悪い！」と結論づけることはできません。それは同時に、「スマホは脳に良い！」と結論づけることができないのと一緒です。

科学研究のプロセスにおいては、そうやって良い結果と悪い結果が出てきて、相反するデータに出くわすことはしばしばあること。

そういった場合には、どういった面がポジティブな結果につながり、どういった面がネガティブな結果につながるのか、より細かい検証をしていくことになります。

そして実際、最近のスマホ研究では、どのような要因がスマホのポジティブな影響につながるか、またその逆につながるか、ということが細かく研究されてきたのです。

使い方や使用目的、年齢、短期や長期に違いはあるかなど、いろんなファクターが研究されて、それぞれにどのような影響があり、どれくらいの効果があるのかが評価されてきています。

つまり、現在のスマホ研究は、その評価が**世界規模で熟成し始めていると言ってもいい、まさしく過渡期**にあるのです。

だから、ネガティブキャンペーンに呑み込まれて、「スマホは悪い！」と短絡的に考えてしまってはもったいないのです。最新の研究を踏まえて、うまいスマホの使い方で、ポジティブな効果を得ようとするマインドセットが大切です。

すべてがスマホのせいなのか

近年、「スマホは悪い！」のテーマで世界的なベストセラー本も生まれていますが、だいぶ以前からスマホのネガティブな面を指し示す論文を発表していた脳科学者や教育者たちがいました。

そうした研究に注目した学者や医者、研究者のグループが、「スマホは体に悪い！」という声明を出したことがありました。

これが、あたかも科学的に決着のついた真実かのように取り上げられてしまったのです。メディアも反応して「スマホはコントロールしないとダメだ」というムーブメントが多方面から湧き起こり、いわゆるネガティブキャンペーンが形づくられていきました。

一方で、その「スマホは体に悪い！」声明から数日後、**「その内容はおかしい」という反対派の声明だって発表されていた**のです。先に触れたように「良い結果を示す研究もあり、さらに研究が必要だ」「まだ少ない特定の研究結果から一般化し過ぎてはいけない」といった反論です。

しかし、そうした反応はあまり取り上げられませんでした。スマホに限らず、ネガティブでセンセーショナルなものほど、人々の興味を引いて、売れてしまう。

ネガティブなものほど気になってしまうのは、人間の進化の過程で遺伝子に刻み込まれた悲しい性（さが）なのです。

こうして、スマホは現在のように問題視されるようになり、「スマホ依存」や「スマホ中毒」などの言葉が生まれました。たとえ、スマホ以外の部分に問題の根源があったとしてもそれらは無視されて、すべてがスマホのせいにされてしまうようになったのです。

こうして、ネガティブキャンペーンは世界に広がっていったのです。

スマホでできる脳を活かす習慣

しかし、世界中の人々が、今もスマホを使っています。誰もが手放さないし、手放すことはできません。なぜなら、スマホが便利で欠かすことができないことに加え、実はスマホには、私たちの体や心にポジティブな影響があるからです。

完全にネガティブばかりであれば、私たちの生活にここまで根付くことはありません。そして、実際に、ポジティブな影響をもたらす使用方法などが科学的に明らかにされてきたのです。

だからこそ、今私たちが取り組むべきは、スマホのポジティブ面にしっかり光を当てることだと思うのです。私たちの**脳や心が持っているポテンシャルをフルに活かすためにスマホをどう活用するか**が鍵なのです。

本書では、スマホでできる「脳を活かす習慣」を詳しく解説していきます。「はじめに」でも挙げた、次の4つのカテゴリーから科学的裏付けとなるエビデンスがしっかりしたものだけを厳選してわかりやすくお伝えします。

1 「インプット」：スマホだからこそできる超速、超効果的インプット

2 「エンゲージメント」：集中力やマインドセット、勉強にも役立つ

3 「ウェルビーイング」：SNSで周りとつながりハッピーになる

4 「モチベーション」：スマホをやり過ぎず持続可能なモチベーションを

「インプット」のポイントは、マルチメディア。音、映像、文字の多様なインプットがスマホによって簡単に可能になっています。

モノメディア（一つのメディア）よりも、映像や音、文字が出てくるマルチメディアの方が、インプットとしては脳を効率的に使えることが明らかになってきました。

動画のスピードや効果的なメモの取り方、ＣｈａｔＧＰＴなどの生成ＡＩを使った現代のインプット法を、最新科学を踏まえて解説していきます。

「エンゲージメント」は、スマホについて考察する時、とても大事な要素です。自分でタッチパネルに触って手を動かして、スマホからのインプットに積極的に頭を使う。それがうまくできると、脳にポジティブなスマホの効果を発揮することができます。

例えば、ＹｏｕＴｕｂｅを見るよりも、ゲームをする方が脳に良いという研究結果があります。スマホの動画を受動的に見ているよりも、見た映像に手と頭を使って反応するスマホゲームの方がよりエンゲージメントを高めるのです。

その他にもスマホゲームを使って、クリエイティビティ（創造性）やコミュニケーション力を高めたり、認知能力を高めて仕事や勉強のパフォーマンスを上げたりすることが可能です。


「ウェルビーイング」の鍵になるのは、やはりＳＮＳ（ソーシャル・ネットワーキング・サービス）です。人によって向き不向きがあったり、使い方によって効果が変わってくることが、これまでの研究で明らかにされてきました。

そこで、じっくりと最新科学が明かしたスマホのＳＮＳ最大活用法を紹介していきます。

ちなみに、スタンフォード・オンラインハイスクールの設立当初、私の個人的なこだわりとして、「卒業生同士が結婚していないようでは、学校とは呼べないな」と思っていました。とはいえ15年以上前の当時は、オンラインではなかなか難しいとも想像していました。ですがそれは、学校創立から3年ほどで、実現しました。

今やマッチングアプリが若い人の間では当たり前になっていますが、オンラインで人とつながることで、「ウェルビーイング」を高めていける。ＳＮＳがメンタルに悪影響を及ぼすことがしばしば取り沙汰されますが、それもやはり使い方なのです。科学的なエビデンスに基づいて、効果的なスマホの習慣を身につけるのが肝心です。

そして、スマホ時代に最も重要なのが、持続可能な「モチベーション」。

ＹｏｕＴｕｂｅにスマホゲーム、ＳＮＳなどなど、ついついハマってしまうアプリやコンテンツが、スマホには詰まっています。

それだけにやり過ぎが心配です。自分や、自分の子どもはスマホ依存なんじゃないか？　スマホ依存を防ぐにはどうしたらいいか？

スマホ時代を生きる私たちにごく自然な悩みごとに、科学的な答えを見つけていきたいと思います。

スマホが良いか悪いかの二元論はもう古い！　最新の科学の答えはやはり、**スマホも使い方次第**なのです。

それならば、悪い使い方を避けて、良い使い方をしていきたい。
さっそく次章から、じっくりと説明していきましょう。

第1章

知られざるスマホのパフォーマンス

スマホに使われずに、スマホを使え。
スマホのパフォーマンスと
自分のパフォーマンスを同期せよ。

「スマホは怖い」は本当か

知ってしまったら怖くなるようなスマホの研究結果は、実際に存在します。例を挙げてみましょう。

- ・1時間スマホ使用で、睡眠が16分減る
- ・スマホ使用1時間ごとに6％ずつ成績が下がる
- ・スマホ使用1時間ごとに7％ずつ集中力が下がる
- ・1日平均2時間以上、週末5時間以上でうつ病のリスクが大きく上がる

(“Screen Media Overuse and Associated Physical, Cognitive, and Emotional/Behavioral Outcomes in Children and Adolescents: An Integrative Review.”〈2022〉より筆者翻訳)

この他にも、スマホが肥満につながったり、自分の衝動が抑えにくくなったり、思考力が落ちたりと、さまざまな悪影響を示す論文がいくつも出されてきました。

興味のある方は、本書の巻末に文献リストを付けていますので、ご覧いただけたらと思います。

こうした主張は名だたる論文誌で科学的に検証されたものからきているのも間違いありません。しっかりとした科学的エビデンスが背景に存在します。

そうなれば、

「スマホは怖い」

「スマホは害毒だ」

「スマホは依存物だ」

とスマホが悪者にされ、重大な社会問題として取り沙汰されてしまうのも無理はないかもしれません。

しかしそれでは、とてつもなくもったいない。これらの目くらましに惑わされないでいただきたいのです。こうした主張の背景を少し注視してみるだけで、スマホは断罪するに足らないものだということがすぐにわかってきます。

さらに、こうした恐ろしいスマホの悪影響の指摘にもかかわらず、なぜスマホに良い影響があると言えるのかがはっきりとわかってきます。

この章では、スマホのネガティブキャンペーンの裏を解き明かして、最新の研究からスマホが持つ本当の良い影響をご紹介していきましょう。

スマホのメンタル影響をメタ分析すれば

スマホは本当に悪なのか？　最新研究の現在地はどこなのか？　これを考えるのに非常に重要な論文があります。

それは、文字通り「ＳＮＳと心のウェルビーイング（Social media and psychological well-being）」と題された論文。スマホのメンタルへの影響についての有力な研究２２６本をまとめ直して、スマホの悪い影響と良い影響を再評価するというものです。

ここまで説明してきたように、これまでの研究では、スマホの悪い影響を示すものと、良い影響を示すものの両方がありました。

例えば、本章の冒頭のように「スマホ使用時間が増えると、うつ病のリスクが上がる」という結果を示す研究もあれば、その逆の結果を示す論文もあったわけです。

しかし、それぞれの対象者や条件が少し違ったりする。それらをすべてガッチャンコして、全体を見渡して、スマホのメンタルへの影響を検証すればどうなるか。

これまでの研究結果を基に、さらに精密な分析を行うということで、「メタ分析」と呼ばれる研究の手法です。


そのメタ分析が出した結果、スマホの使用時間とメンタルの相関は、「0・01」であることがわかりました。ここで言う「相関」とは、スマホの使用時間と良いメンタルの状態の関係性の強さを表しています。

スマホを使用すればするほど、良いメンタルになるという傾向があり、その傾向が最大限に強ければ相関は「1」。スマホとメンタルがまったく関係なければ「0」。スマホを使うとメンタルが悪くなる傾向が最大ならば「−（マイナス）1」。

そしてメタ分析結果の「0・01」。これはまさに誤差の範囲内で、統計的に有意ではない、つまり、**スマホの使用時間自体とメンタルには相関がないという結果が出てきた**のです（しかも、誤解を恐れずに言ってしまえば、どっちかというのであれば、スマホを使用すればメンタルが良くなる方にほんの少しだけ寄っているわけです！）。

スマホには悪い影響もあるかもしれないけれど、一方で良い影響もある。全部の研究結果を合わせてみると、良い点と悪い点が相殺され、全体的にはどちらでもない。そうなった場合、さらに細かく、どんなスマホの使用が悪影響を及ぼして、どんな使用が良い影響を及ぼすのかを研究する必要があります。最近のスマホ研究は、まさにそれを明らかにしてきたのです。

実際に、いくつかのことに気をつけてSNSを使うと心のウェルビーイングがアップすることがわかってきています。この点については、第4章で詳しく見ていきたいと思います。

スマホで記憶力アップ

スマホの良し悪しは使い方次第。この点をもっと理解していただくためにメンタルへの影響以外にも、スマホがもたらす良い影響について、最新科学からいくつか厳選してご紹介しておきましょう。まず初めは、ロンドン大学で行われた研究からの紹介です。

一つ目が、「記憶力アップ」です。以下のような実験をイメージしてください。

1分間に、大きなスクリーンにつぎつぎと赤い数字と黒い数字がランダムに映し出されます。のちほど行われるテストで、赤い数を正確に覚えていれば、一つにつき100 0円もらえます。黒い数は100円です。つまり、赤い数字の方が黒の10倍の値打ちがあるわけです。

このシンプルな数字記憶ゲームを使って、二つの参加者グループで実験していきます。何も持たずに頭だけで覚えておくグループと、スマホのノートアプリを使ってメモを取る方法の2種類です。

数字はどんどん出てきますから、すべては記録しきれません。参加者が自分なりにできるだけのメモを取ってやっていきますが、もちろん、10倍の価値のある赤い数字の方を優先してメモしていくことになります。

どちらのグループも数字を見たあとにテストをしますが、テスト中は何も見てはいけません。つまり、メモを取ったグループの参加者も、テストをする時は自分のメモを使うことができないというわけです。

はたして「頭だけ」グループと「スマホでメモ」グループで、テストの結果に違いが出るのかどうか？

実際に行われた実験の結果は、「頭だけ」グループに比べ、「スマホでメモ」グループの方が断然に正解率が高かったのです。赤い数字の正解率は17%アップ。しかも、黒い数字はさらに大きく28%もアップしました。

この結果は何を意味するのでしょうか？

まず、ただ記憶するだけではなく、スマホに打ち込むという能動的な「インプット」のプロセスを経たことで、脳のエンゲージメントが高まったため記憶力が上がったという解釈ができます。

ただボーッと見るのではなく、見たものをスマホにインプットするという脳を使う動きで、17％記憶力が上がったというわけです。

それではなぜ、黒い数字の記憶力もアップしたのか？

ここで注目すべきが、メモを取ることの安心感です。メモが、「大事なことをスマホに入力した」という自信や、「また見ることができる」という落ち着きにつながるというわけです。

そのことで、赤の10分の1しか価値のない黒い数字にも、より多くの意識を向けることができた結果、黒い数字の記憶が28％もアップしたと解釈できるのです。

いずれにしても、17％の記憶力アップ、28％の記憶力アップですから、研究結果は、**「スマホを使うことで記憶力がアップした」**ことを示しています。

本章の冒頭では「スマホが認知力を下げる」という研究結果を挙げましたが、その真反対の結果が明らかにされているのです。要するにその差は、スマホの使い方の違いなのです。

ちなみに第2章では、このあたりを深掘りして、スマホ入力のようなタイピングと手書き、どちらが記憶力が上がるのかなどについても解説していきます。

先に結論を明かしますと、読んでいるのか、聞いているのか、情報のインプットの形によって効果的なメモの仕方が違ってくる。

つまり、情報をインプットする時に、がむしゃらにメモを取っては記憶力の無駄遣いになってしまうかもしれないのです。インプットの仕方によって最適のやり方を選ぶことで、記憶力をアップさせることができます。

肥満対策や注意力アップにもつながる

スマホの良い影響、二つ目は、「肥満対策」です。

本章の冒頭に紹介したように、これまで「スマホを使い過ぎると肥満になる」という研究が注目を集めてきましたが、よくよく調べてみるとそうではないということがわかってきました。

前述のメンタル同様、スマホと肥満の関係については、全体の相関を見てみると、あまり関係がないことがわかってきたのです。

それどころか上手な使い方をすれば、スマホの使用が良い影響を与えるという結果も示されてきています。

例えば、日本でも若者に人気のゲーム「ダンスダンスレボリューション」は、普通のエクササイズと同じくらいの運動効果が得られるとされています。さらに、上級者だと、より運動効果が大きいこともわかっています。

また、ゲームですから、楽しんでエクササイズに取り組めたり、運動に関心がない人が取り組みやすかったりすることもわかってきました。ランニングや健康管理アプリも良い結果につながることが示されています。

スマホの良い影響、三つ目は「注意力アップ」です。

スマホでみんながよくやることの一つがゲーム。さまざまな出来事が画面上で目まぐるしく起こる中で、目や手を動かして、瞬時に決断していかなくてはいけません。

そのためゲームには、注意力を高める効果があることが知られています。さらに、集中力や視野、空間認識力などもアップしてくれます。

また、ゲームによっては、画面のいろんなところでいろんなことが起きるのを認識しながら対応しなければいけません。そのため、注意力を複数の事柄に分散させる力もつくことが明らかにされています。

いわば、**スマホゲームは、脳にすごく良い**のです。これはとてつもない朗報です。第3章で詳しく解説していきましょう。

また、子どものみならず、大人もスマホゲームを魅力に感じている人は多い。それには実は科学的な理由があって、ゲームは人間の「心の三大欲求」を満たしてくれるからです。これについては第5章で詳しく解説します。

知られていない検索のポジティブ面

スマホの良い影響が科学的に解明される一方で、スマホのネガティブな面ばかりが強調されてきたのはここまで述べてきた通りです。

言ってみれば、「ネガティブ洗脳」です。そして、スマホのネガティブ洗脳にはいくつかのパターンが存在してきました。

例えば一つの研究論文を取り上げ、悪い影響を示すところだけに注目し、他をいっさい語らない……。他の部分では良い影響も示されているにもかかわらず。つまり、悪いところだけ論文から「切り抜き」してネガティブ洗脳していくパターンです。


わかりやすい例に、「グーグルエフェクト」があります。必要な情報はいつでもグーグルを使って検索、つまりググれると思っているので、実際記憶しようとしなくなってしまい、覚えが悪くなる、という主張です。

名前もついているくらいなので、ずいぶん拡散された現象なのですが、実はこれは、根拠となる研究論文の全貌を把握していない言説なのです。

確かに論文中には、ググったもの自体は覚えなくていいと思ったので記憶力が下がったという記述がありますが、一方で**そのググったものがどこにあるかという記憶は上がって**

いたということが明示されています。

つまり、ググったあと、そのページのどのあたりにどんなことが書かれていたのか、といった記憶力は、以前よりもアップしていたのです。

要するに、一部の記憶は下がっていたわけですが、その分上がっているところもあった。記憶しようとするものの対象が変わっただけなのです。

それにもかかわらず、記憶が下がった部分だけを「切り抜き」して注目させることで、記憶力全体が下がってしまったかのような「ネガティブ洗脳」が広がってしまったのです。

条件省きの「ネガティブ洗脳」

似たようなネガティブ洗脳のパターンに、研究の大事な条件がバサッと省かれてしまうようなものがあります。

例えば、本章冒頭のネガティブな研究結果に以下のようなものがありました。

・スマホ使用1時間ごとに6%ずつ成績が下がる

・スマホ使用1時間ごとに7%ずつ集中力が下がる

これらは実は、2歳までの子どもたちに限定して行われた研究に関するものでした。またここで言う「成績」とは数の認知に関するもの。

つまり、2歳以下に限定すると、スマホの使用時間に応じて、その後の数の認識などの成績や集中力に悪影響が出る、というものだったのです。

そして、実際には他の研究などで、違う年代ではスマホの使用法を変えると集中力が増し、成績も上がるなどの報告がなされています。

ですから、前述のスマホのネガティブな指摘は、「2歳以下に限定して」という大事な研究の条件が省かれているのです。要するに、スマホの「ネガティブ洗脳」に都合の良いように研究結果が使われていたことになります。

乳幼児期とは、人間の基礎的な認知機能が一気に発達する時期です。その時期においては、スマホやタブレットの使用で悪影響が生じやすい。しかし、年齢が上がれば話は別。学習アプリや複雑なゲームなどで脳をエンゲージさせることができ、SNSなどを正しく使うことで周りとのコミュニケーションも高められる。

そういう多面的な視点を、最新のスマホ研究は提示しているにもかかわらず、大事な条件を省き誇張されたネガティブ洗脳が蔓延(はびこ)っているのも事実です。

同様に、「使い過ぎた時」のスマホの悪影響を研究した論文なども、「条件省き」のネガティブ洗脳によく使われます。「極端に長時間使った場合」という大事な条件が抜け落ちてしまっているのです。

平均的な使い方をしていればまったく心配はないのに、とんでもない長時間にわたって使ったことは言わずにうつ病のリスクが上がってしまう、とされてしまったケースもありました。

前述のメタ分析のように、平均的な使用時間などすべてのケースを含めて検証すれば、スマホ使用とうつのリスクに相関関係は見られません。

要するに、普通に使っていれば心配はまったくないのに、**極端なケースのみで全体が悪いような印象にされている**のです。

スマホに悪い面がまったくないわけではありません。ですが、良いところ、プラス面、ポジティブ面も、ちゃんと注目していかなくてはいけません。

一時的な話の極度な一般化

さて、ここまで見てきたように、スマホの影響についての話は、子どもに関するものが非常に多い。親としては、子どもにスマホを使わせていて大丈夫なのか、という心配がやはり大きいのもその理由の一つでしょう。

だからこそ、ネガティブキャンペーンについつい反応してしまう。ごく自然な反応だと思います。私も2児の父なので、痛いほどよくわかります。

ただ、だからこそ気をつけなくてはいけません。先ほどの「グーグルエフェクト」にしても、確かにいつでもググれると思って何かを調べた時、その場でググったもの自体の記憶は定着しにくくなるかもしれません。

例えば、小学3年生のひかるくんが、「徳川家康」を検索する。その検索だけで「徳川家康」について記憶するチャンスは、他の勉強法に比べて低くなる。それがグーグルエフェクトです。出てきた結果はいつでもググればいいと思ってしまうからです。

ですがこれは、ひかるくんの記憶力の減退ではありません。ググって調べたことで、ひかるくんの「徳川家康」に関する記憶のポテンシャル自体が落ちてしまうわけではないのです。ましてやググることが、ひかるくんの全般的な記憶力に影響を与えるわけでもありません。

現に、ひかるくんがのちに歴史の授業で「徳川家康」を学べば、しっかりと覚えることができる。

つまり、ググることを習慣化しても、その人自身の記憶力の減退にはつながらないのです。グーグルエフェクトは、ググったこと自体の記憶が、他の学習法よりも残りにくい、ということを示しているに過ぎません。

だから、**ググること自体で私たちの記憶力が悪くなることはない**。ググるだけで「徳川家康」をしっかりと覚えることはできないかもしれない。でも、それは、みんなが学ぶように歴史の授業で学べばいい。

むしろ、「徳川家康」をググったことで、歴史に興味を持ったり、ものを調べることに面白さを感じて、学ぶことの意欲が上がったりさえするかもしれないのです。

しかし、かわいい子どものことを案じれば案じるほど、一時的で限定的な効果でも、一生を通じたすべてのことに当てはまるような気がしてしまう。だから「ググったら物覚えが悪くなって、一生この子は歴史のテストでいい点数が取れなくなってしまう」などと心配してしまうのも自然な親心なのです。

でも、安心してください。ここまでお話ししてきたように、「グーグルエフェクト」がそんなことを引き起こす科学的根拠はありません。

一時的だったり、限定的だったりする話を、誇張して一生の記憶力についての不安や心配に結びつける。そんな「極度な一般化」によるネガティブ洗脳には、十分気をつけなければいけません。

スマホ特有の悪影響にあらず

これまでのスマホのネガティブキャンペーンで最も注目を集めたのが、「スマホ使用が集中力の低下につながり、パフォーマンスが低下してしまう」というものです。

「スマホが目の前にあると気が散ってしまい、勉強や仕事のパフォーマンスが下がる」

「スマホの電源を切っても、目の前に置くだけで同様の悪影響がある」

実際、こうした事実に関する研究論文があり、オンライン記事からベストセラー書にいたるまで、さまざまなところでスマホの悪影響を示すものとして使われてきました。

しかしこの件に関しても、「スマホはダメ」という結論ありきの偏りが見受けられるのです。

例えば、「スマホが目の前にあると気が散ってしまい、パフォーマンスが落ちてしまう」という結果の他に、他の部屋に置いておけばパフォーマンスが低下しないということがわかっているのです。しかも、そのことは同じ論文の中で指摘されています。

要するにこれも、悪影響だけを「切り抜き」で使ったネガティブ洗脳だったのです。

よくよく考えてみましょう。お腹(なか)が空いていて、目の前においしそうなお蕎麦(そば)があったら、食べたくなって気が散ります。

また、好きな人が目の前にいたらドキドキしてしまい、やるべき仕事や勉強に集中できず、パフォーマンスが下がってしまう。

だとすれば、目の前にあることで集中力やパフォーマンスが下がってしまうのはスマホ特有の悪影響ということではなく、私たちが気になるものならどれについても言えることです。つまり、**集中力やパフォーマンスが下がる要因をスマホの悪影響にするのも悪質なネガティブ洗脳**だと言うことができます。スマホが悪いと決めつけて、「とにかくスマホのせい」にする論法にも注意が必要です。

SNSが孤独を呼ぶ？　孤独がSNSを呼ぶ？

ここまでスマホのネガティブ洗脳の事例をいくつか見てきましたが、ちまたで最もよく見かけるパターンをラストにお話ししておきましょう。

前述のSNSによるスマホのメンタルへの悪影響の例を思い出してください。スマホでSNSを使うことがネガティブな感情につながり、うつの原因になるというものです。

しかし、ＳＮＳとメンタルの関係性はそう単純ではないことは前述の通りです。

この点をもう少し深掘りしていきます。ＳＮＳがウェルビーイングにつながる使い方をしている人たちは、もともと対面で持っている関係性を、ＳＮＳで維持したり強めたりしている人たちである、という傾向が判明しています。

学校や職場、サークルや飲み会で仲良くなり、交流が続いている仲間たちとＬＩＮＥグループでやり取りをする。そういった場合に、ＳＮＳの良い面が発揮されて、良いメンタルにつながるということです。

逆に、ＳＮＳでうつ病などのリスクが出てきてしまう人たちは、もともとＳＮＳを始める前から、自分が持っている人間関係に満足していない傾向がある。しかし、リアルで足りていないものを、ＳＮＳで代替的に埋め合わせようとしても、なかなかうまくいかず、状況が悪化してしまうことになりかねないということが明らかにされてきました。

そうした結果から考えられるのは、ＳＮＳが原因でうつ病などのメンタルリスクが上がることも確かにありうる一方で、その逆の可能性も大いにありうるということです。

SNSが原因で、メンタルに悪影響が出たのか、それとももともと人間関係がうまくいっていないことが原因で、結果としてSNSに引きこまれていくのか。**SNSが孤独を呼んだのではなく、孤独がSNSを呼んだ**、という可能性もあるのです。

SNSの使用とうつ病のリスクが相関しているからといって、必ずしもそこに予期したような因果関係があるとは限らない。そこをごっちゃにして「因果関係ごまかし」を使ったネガティブ洗脳にも、用心しなくてはいけません。

人間はネガティブな情報に引かれる

ここまで見てきたように、ネガティブ洗脳のパターンはけっこうシンプルです。研究から「切り抜き」したり、実験の大事な全体を「条件省き」したり、「極度の一般化」をしたり、「とにかくスマホのせい」にしたり、「因果関係ごまかし」をしてしまったり。

そんなシンプルなごまかしでも、一気にネガティブキャンペーンが広がってしまう。これには科学的な裏付けがあります。

まず、人間はネガティブな情報が気になり、引きつけられてしまう。だから、メディアはネガティブな情報を扱いたがる。

実際、近年の脳科学の研究で、ネガティブな事柄に対する脳の反応の方が、ポジティブな事柄への反応よりも、断然強いことが明らかにされてきました。

これを**「ネガティィビティ・バイアス（negativity bias）」**と呼びます。

とっても幸せなディナーのひと時も、最後の不快な店員のひと言で、台無しに。そんなことはよくあることです。つまり、幸せに感じていた時間がどれだけ長くても、そのネガティブな一瞬の記憶の方が勝ってしまうわけです。

ポジティブより、ネガティブな事柄に強い気持ちを感じてしまうのは、私たちの脳の扁桃体（図1－1）が持つ基本的なメカニズムです。ネガティブな感情や思考のおかげで、失敗を繰り返さなくて済んだり、より正しい決断ができる。ネガティブな心の働きは、時に私たちを救ってくれさえします。

だからこそネガティブな心の働きは、人間の進化の歴史の中で、私たちの脳の仕組みにしっかりと刻まれてきました。

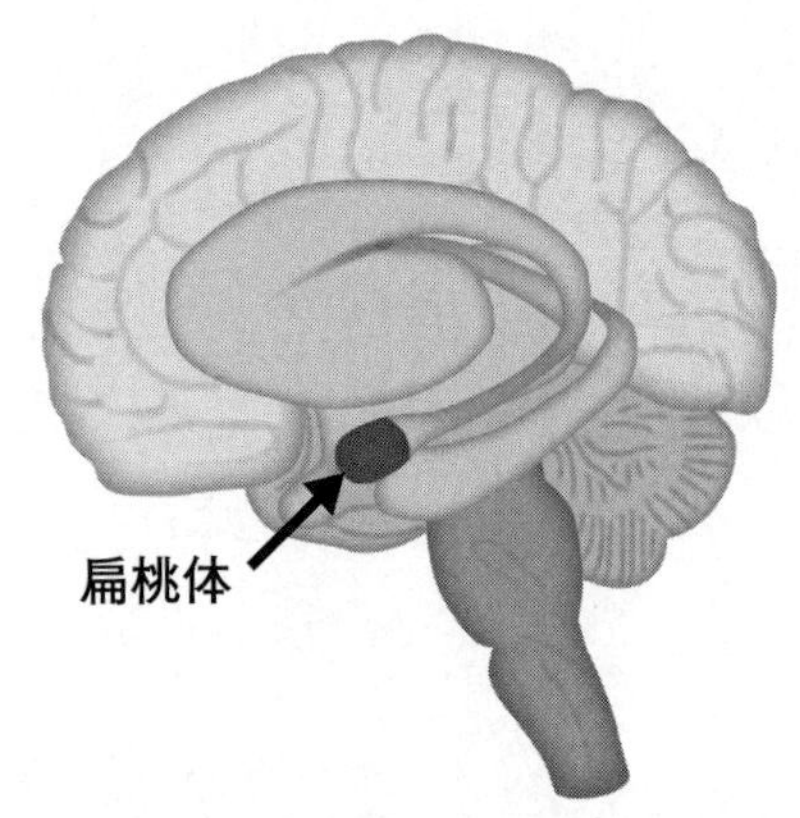

【図１－１】視覚や聴覚による情報は、情動の脳である扁桃体に届き、自律神経系の身体反応を伴う一時的情動となる。不安や恐怖というネガティブな感情への注意力は、人間の生存本能としてDNAに受け継がれてきた。

人間の先祖が天敵に囲まれて暮らしている大自然の中で、同じ過ちを繰り返しては命の危険に晒される。そこで、強烈なネガティブな気持ちがあることで、もう一度同じ間違いをおかさないように気をつけることができる。ゆえにネガティブな心の働きが、進化論的にも優位な能力として、人間のＤＮＡに刻まれてきたのです。

ですからネガティビティ・バイアスが人間にある限り、スマホなどに代表されるネガティブキャンペーンが広がってしまうのは必然でもあります。

実際、新しく生まれたイノベーションへのネガティブキャンペーンは、人類史上でも稀なことではありません。こうしたネガティブキャンペーンの歴史はインターネットやゲームを待つまでもなかったのです。

例えば、ラジオは子どもの教育や聴覚の発達に悪いとか、テレビが子どもの成長や健康に悪影響を及ぼすなど。もっと遡れば、公教育が盛んになり学校制度が広く導入されるや否や、強制的な教育が子どもたちの自然な成長を害するなどの反応もあったようです。

面白いところだと、公園にある砂場。19世紀の半ばにドイツで子どもの遊び場に砂場が登場するやいなや、子どもたちが熱中し、それを心配して砂場の悪影響が社会問題になったりもしました。

もちろん、私の専門の哲学の祖であるソクラテスが、本によって人間の記憶力が劣化することを心配して、本を勧めなかったのも有名な話です。

バッシングばかりの開校当時

イノベーションへのネガティブな反応といえば、私の専門のオンライン教育もまた然(しか)り。スタンフォード・オンラインハイスクールをスタートさせた当初は、それはもう大変でした。それこそ振り返れば、ネガティブバッシングしかなかったと言ってもいいくらいです。

2006年当時、今でこそ知られるようになった「コーセラ（Coursera）」などのオンライン教育の巨大プラットフォーマーはまだ生まれていませんでした。

しかもオンラインの学校といえば、大学レベルかそれ以上の大学院、社会人を対象にしていたものがほとんどでした。しかも当時から、オンラインの授業の修了率が低かった。興味本位で始めても、最後まで学び通す人たちが少なかったのです。

要は、オンライン教育という新しい流れへの熱狂はあれども、「オンライン教育は、あまりうまくいかない」という風潮がありました。

そんなタイミングで、**中高一貫校をオンラインでやる**と私たちは言い出したわけです。それこそ「バカか！」くらいの反響でした。大人にもできないことを、子どもにやらせるとはどういうことか、ということだったのでしょう。

さらに、コンピュータと向き合ったところで、思春期に育むべきである社会性や感情のコントロールを身につけられるはずもない。そんなことも言われていました。

実際、私はそうした心配を直球ど真ん中に捉えて、オンライン学校を作っていくための努力を真摯(しんし)に続けていきました。

オンラインでもトップの教育ができる。そのことを示そうと、心理学や脳科学の成果を活かしながらオンラインの長所を存分に出して、伝統的な学校よりも学校らしく、学びの実績を積み重ねようと努力してきました。

それが徐々に社会的にも注目され、心配していた親たちも変わり始め、オンライン教育の普及が加速度的に進んでいきました。コロナ前にすでにアメリカや世界のオンライン教育は爆発的に成長していったのです。

「オンライン教育も良いじゃないか」という声の高まりはやがて、「うちの子どもにはオンライン教育の方が合っている」という声にまでつながるようになっていきました。

「もう普通の伝統的な教育は、子どもには受けさせたくない」という親がずいぶん増えてきた印象もあります。

振り返れば、

「あのネガティブバッシング一色だった立ち上げ時は、いったい何だったんだろう?」
とさえ思います。

新しい取り組みには、賛同ばかりでなく批判が必ず起きるものです。そして、本当の成果が示されれば、ちゃんと人々に認められるようになる。

これは、スマホも同じかもしれません。

スタンフォードの「スクリーンノム」研究誕生

話を元に戻しましょう。これまでのスマホ研究の結果からネガティブキャンペーンが起こった。しかし、よくよく見てみれば、良い影響を示すものもある。より精密にスマホの影響を調べていかなくてはいけない。

そして、現在のスマホ研究は新しいテクノロジーを導入してさらに進化しています。

例えば、これまでのスマホ研究においては、研究データの「甘さ」がたくさん指摘されています。

これまでは「スマホを見れば見るほどうつのリスクが上がる」など、スマホの使用時間に関するテーマが多かった。そこで「何時間見ていたか」が極めて重要なポイントになるわけですが、案外、その調査が適当だったりするのです。例えば、調査対象者に「あなたは何時間くらい使っていますか」というような主観的な回答を引き出す質問をしているものがほとんどだったのです。

主観的な物差しでも、ぴったしカンカンの直感を持っていればよいのですが、なかなかそうもいかないのが現実です。

とりわけスマホに関しては、ネガティブキャンペーンのせいで「スマホを見過ぎているとマズイ」という意識を持っていたりする。そうなれば、スマホの使用時間を少なく見積もって答えてしまったりします。

逆に、自制の気持ちが強い人は、本当は大してスマホを見ていないのに、けっこう長く見ていると答えてしまったりもしてしまいます。

いわば、スマホの使用時間に関しては、その時にどんな質問の仕方をするかで、答えが変化してしまう可能性が大きいのです。

もっと言えば、今やスマホの使い方は本当にさまざまで、スクリーンを何時間見ているか、などと使用時間の長短だけを言及しても意味がなくなってきています。

より具体的に、「どのように使っているのか」「どれくらい使っているのか」「時間を意識することで、使い方がどう変化していくのか」といったところまで、調べる必要があるのです。

つまり、相関が見えない状況を放置せず、原因をきちんと突きとめようということです。そこで今注目されているのが、スタンフォード大学の「スクリーンノム（Screenome）」の研究です。

スクリーンノム？　どういう意味でしょう。

「Screen」に付く「-ome」とは、集合を表す言葉です。

ですから、「スマホの操作に関する秒単位のデータの集合体」とでも言えば、イメージしやすいかもしれません。

同じく「-ome」が付く言葉に、「ゲノム（genome）」があります。「gene（遺伝子）」に「-ome」が組み合わされ、生物の遺伝情報の全体を表す言葉になっています。

遺伝子のゲノムはまさに人間を作り上げているわけですが、今や人間はスクリーンを見ることが大事な生活の一部になっています。

遺伝子配列がその人の体を作っているように、**スクリーンでの行為がその人のライフスタイルを作っている**――そこで、「スクリーンで日々やっていることを解析できるようなアルゴリズムを作りましょう」というのが、スクリーンノムのコンセプトです。

「あなたは、スマホで何をしていますか」

このプロジェクトがスマホ研究界隈（かいわい）で今、非常に盛り上がっています。それは、「スマホの使用時間だけを被験者に訊（たず）ねる研究は意味がないよね」ということに多くの人が気づいた表れでもあると思います。

さまざまな研究において、「この人はどういうものに、どのくらい時間を使うようにしているのか」を、匿名でありながら解析できることが大きな特徴です。

シンプルに言えば、スマホ使用者のログ（記録）を取得します。本人の許諾を得た上で、すべてのログを取るのです。人間の目で見たら「このサイトって、ソーシャルメディアだよね」「これはゲームっぽいね」「どっちかわからないなぁ」というものも、ＡＩが判別します。

使用時間を正確に把握することと、「これはソーシャルメディア」「これは学習アプリ」としっかり使用目的を区別することで、スマホのどんな使い方が良い影響を与えるかを正確に分析することができます。

使用時間と使用目的が、人間のゲノム解析と同じで、それぞれの人のスクリーンノムが色と長さのビジュアルで得られます。こうして匿名性を保ちながら、研究に使えるデータを集めているのです。

「何時間見ていますか」のような粗い問いの研究では正しい結果を導き出せないことがわかっていましたから、このスクリーンノムの解析は、スマホと人間のリアルな関係性を分析することに非常に役立っていくはずです。

「あなたは、スマホで何をしていますか」

という問いが、スマホのさらなるパフォーマンスを解き明かし、ひいては私たちのパフォーマンスも高めてくれるというわけです。

ご存じの通り、スタンフォード大学の立地は、シリコンバレーのベイエリア。人工知能の発展は、まさにこの地を中心に進んできたと言っても過言ではありません。他にもこうしたテクノロジーの先端的な研究を数々行っています。

そんなスタンフォード大学発のスクリーンノム。スクリーンの中で、実際何が行われているのか。**人とスマホのリアルな関係性をしっかりと解析して、より良いスマホの使用がどんどん解明**されてきています。言いかえれば、科学的に裏付けられたスマホの使用が、今後も世の中に広められていきます。

私たちはひと足先に、最新研究から効果的なスマホの活用法を学んでいきましょう。

次章ではまず、スマホを使った効果的なインプット術を解説していきましょう。

第2章

スマホ動画は「インプット」の無双の鍵

「見る」「聞く」「読む」を上手に組み合わせて、
スマホを最良のインプットツールにする。

スマホは「読む」「聞く」「見る」の最強ツール

スマホで楽しむのはゲームや動画のエンターテインメントだけではありません。最新ニュースをチェックしたり、新聞社のデジタル記事やＳＮＳで個人発信の最新特ダネをゲット。新しい趣味や学びに挑戦したい時は、ＹｏｕＴｕｂｅで検索、などなど。

スマホは現代では欠かせない情報収集、すなわち「インプット」の最強ツールです。

そんなスマホを効果的に使用するために気をつけるべきことを、これまでの最新科学から検証していきましょう。

まずは、マルチな性能から。**スマホは、読んだり、聞いたり、見たりと、さまざまなインプットの形が取れる**ことに注目しましょう。記事を読んだり、ポッドキャストを聞いたり、動画を見たりと自分で好きなように情報を得ることができます。

そうであれば、どれが一番効率的なのかも気になります。これまでの脳科学や心理学では、読むこと、聞くこと、見ることのそれぞれが詳しく研究されてきました。

その結果、それぞれのインプット形式で大きな違いがあることが判明しました。この章では、そうした違いを活かしながら、効率的なインプットができる方法を探っていきましょう。

「読む」vs.「聞く」、インプットはどちらが効果的？

さっそく「読む」インプットと、「聞く」インプットを比較してみましょう。スマホでデジタル記事を読むか、それともネットラジオやポッドキャストでニュースを聞くか。どちらが効果的なのでしょうか？

これまでの研究で明らかにされているのは、読む方がインプットが速いということ。読むインプットは聞くインプットよりも、ずばり、2倍ほど速い。

例えば、ニュース記事であれば、それを通常の速度でアナウンサーが読んだものを聞くよりも、記事を文字で読んだ方が断然インプットできる情報量が多いというわけです。

しかも、読むことで、ほぼ2倍の速度が出るということは、同じニュースを聞いた時よりも半分の時間で済んでしまうことになる。それでいて、理解度は聞いているのと変わらないということもわかりました。

ということは、**聞くよりも、読む方が効果的で、同じ時間内に倍の情報量をインプットできる**ということになります。


ちなみに、自分は「読むのが苦手でそんなにスピーディには読めない！」と感じている人も少なくないかもしれません。

もちろん、そうであれば、読むことに親しむ方がインプットの効率が上がるので頑張って練習した方がいい、とも言えますが、そんな人にも朗報があります。

読むのを苦手に感じている人の多くが、黙読しながらも読んだ文字を心の中で「読み上げている」ような感覚を持っているかもしれません。心の中だとはいえ、いわば、喋(しゃべ)っている。だから、実際に声に出して喋っているのを聞くスピードと大差はないように感じる。

しかし、「心の声」のスピードをしっかり研究してみると、実際に耳から聞くよりも断然速いことがわかったのです。つまり心の中の声は、自分で感じている速度よりもずっと速いのです。

だから、「心の声」を使いながら読んでいる場合でも、読むインプットの方が、聞くインプットに比べて速いのです。

速読の達人が本当にしていること

しかし、そんなに効果的なのであれば、どんどん速く読んで差をつけたくなるわけですが、あまりに速く読み過ぎるのもかえって逆効果になります。

もちろん、トレーニングによって読む速度を改善できることはわかっています。だから読むのが苦手な人は、やはり、どんどん読み慣れることで、より効率的なインプットを目指したいところです。

しかし、極端な速読は科学的に不可能。通常の黙読での理解度を保ちながら、ものすごく大幅なスピードアップはできないことが、最新科学で明らかにされてきました。

例えば、速読術に関する本を読んだりすると、目の動きを速くするためのトレーニングや、素早く文字を目に入れるやり方が紹介されたりしています。

しかし、目の動きはいくらトレーニングしても、ある一定の速さを超えることはできません。そこには筋肉や目の周りの構造上の限界があるのです。

さらに、仮に目を超高速で動かせたとしても、新たな問題があります。そう、脳の言語処理です。

私たちの脳は、文字を読む時に、目から入ってくる情報を認知して言語処理をしていますが、その処理能力にも、限界がある。

つまり、**最近の脳科学の成果で、超高速の文字の読解は不可能だということ**がわかってきたのです（文献の例は巻末をご覧ください）。

実際、数分で分厚い本を完読するような速読の達人は、書かれている文字すべてを目からインプットして読解しているわけではありません。彼らが「超速読」をしている時の目線や脳の認知を調べてみると、要所要所の単語しか見ていない。すべての文字を見ているわけではないのです。

それでも全体を把握しているように見せることができる。なぜなら、断片的な情報から全体を推測する能力に長けているからです。言いかえれば速読の達人は、要所要所のつまみ食いで、全容をつかんでいるように見せるのが上手なのです。

多くのストーリーを読んだり、いろんな知識を身につけることでそうした能力を研ぎ澄ませたわけで、新しい情報を高速でインプットしているのではないのです。

やってはいけない「速読」のコツ

目の動き以外にも、よくある「速読」のアドバイスで気をつけるべきものがあるので、もう少し解説しておきましょう。

例えば、先ほどの「心の声」について。「速読」のアドバイスに、「心の声」を禁止するものがよくあります。文字を目で追いながら、心の中で「読み上げる」のが読むのを遅くするというわけです。これはもっともなアドバイスのようにも思えます。

しかし、実際に遅く感じたとしても、「心の声」の速度はかなり速いことがわかっているのは先述の通りです。また、「心の声」は、文章の理解や記憶の効果をアップさせることもわかっています。

つまり「心の声」で、読解力が落ちるわけでもないし、むしろ読んだものを理解するた

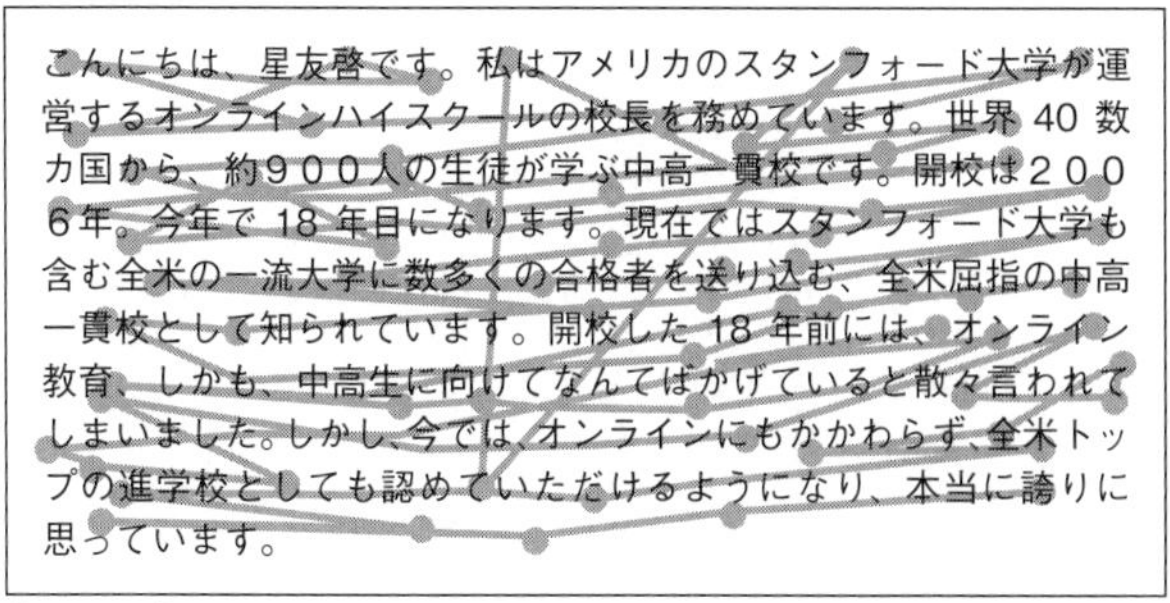

こんにちは、星友啓です。私はアメリカのスタンフォード大学が運営するオンラインハイスクールの校長を務めています。世界 40 数カ国から、約９００人の生徒が学ぶ中高一貫校です。開校は２００６年。今年で 18 年目になります。現在ではスタンフォード大学も含む全米の一流大学に数多くの合格者を送り込む、全米屈指の中高一貫校として知られています。開校した 18 年前には、オンライン教育、しかも、中高生に向けてなんてばかげていると散々言われてしまいました。しかし、今では、オンラインにもかかわらず、全米トップの進学校としても認めていただけるようになり、本当に誇りに思っています。

【図２－1】文章を読む時の人の視線は、前後の関連する語の間を行きつ戻りつしながら進んでいく。

めに有効な脳の働きでもあるのです。

他にも「速読」について、読んでいる時の目の動きを一方向に統一した方がいい、というアドバイスもあります。

実際に読書中の人の目線を追うと、左から右、上から下と、一方通行にはなっておらず、文章の流れに反してジグザグの動きをしています（図2－1）。今、読んだところをもう一度確認したりするのもよくある動きです。ですから、「目線をジグザグさせないで、一方向に読み進めることで時間を短縮できる」といったアドバイスに「なるほど！」と思ってしまいがちです。

しかし、ジグザグの目線もむやみやたらにそうしているわけではないことが実証されてきています。というのも、**読んでいる時の目の動きを一方向に抑制しようとすると、読解力が下がってしまうのです。**

これは想像してみればごく自然なことなのではないでしょうか。いったんパッと読んだ登場人物の名前を、少し進んでから「なんだったっけ?」と戻ることで、話の筋を追いやすくなる。ニュースや教科書も同様です。常に一方向へと目の動きを効率化したからといって、それが理解力の効率につながるわけではないのです。

人間の脳は読むのが苦手

それでも読むのはやっぱり苦手——。ここまで本書を読み進めてきた皆さんにとっては、そんなことはないかもしれません。ですが、読むことに苦手意識を持っている人はかなり多いもの。「活字離れ」が指摘される現代ではなおさらです。

そして、そう感じてしまうのも、実はとても自然なことなのです。

なぜなら「読む」ことは、人間の脳にとって実は<ruby>と<rt>、</rt></ruby>てもむずかしいことだからです。

そもそも、人間が現在のような文化的な生活を得るまでには、自然界での長い長い進化の歴史がありました。他の動物たちとの荒野での自然淘汰に打ち勝とうとする中で、社会や文明が築かれてきた。もちろん、最初は言語も文字も持っていない。だから、人間の活動は「見たり聞いたり」することが、営みのベースでした。

一方で、**「読む」行為は、「見る」「聞く」に比べて、人間の脳がだいぶ進化したのちに手に入れた高度な能力**でもあったわけです。

人間がそもそも持っていた「自然」な能力を使うとすれば、やはり「見たり、聞いたり」となる。その方が脳への負担はかかりにくく、頭に入りやすいのです。

そして、「見る」「聞く」はスマホの得意分野です。それを活かせば、「読む」以上のインプット効果を実現することができるのです。

ちょうどいい早送りの速度

では、人間が「読む」より先に持っていた「聞く」という能力について考えてみましょう。

前述のように、「読む」のは通常の「聞く」よりも倍くらい速いわけですが、聞くこと自体の速度を上げて、インプットの能力を上げることはできないものでしょうか。

このような「速聴」についても、これまでさまざまな研究結果が出されています。それらをぎゅっと濃縮すると、

「1・5倍速を超えたあたりから、理解度が落ちる」

と言うことができます。研究によっては、条件次第で2倍速でも理解度が落ちないという結果もありますが、多くの場合で、1・5倍くらいまでは理解度を変えずに「速聴」できることが明らかにされています。

「速聴」については、デジタルICレコーダーやスマホが登場する以前、すなわちカセットテープの時代から、かなり多くの研究がなされてきました。

ただ当時は、「早送りをどう実現するか」という根本的な課題があった。普通に喋っているものを速くするには、どこかで音声データを削って、短くしなければいけません。しかし、削るところを間違ってしまっては、そもそもの内容がわからなくなってしまう。

今現在のように、すべてのデータ比率を揃えて圧縮することができなかったのです。

内容を把握しながら音声を倍速で聞く。それが可能になった今では、「どれくらいの速度まで早送りしていいか」は、皆の知りたいところとなりました。

早送りで時間の短縮はできても、自分がどこまで理解できているかはわからないものです。本当にわかったのか。それとも、わかった気になっているだけか。なかなか自分自身では判断がつきません。

特に、スマホ時代の現代では、見つけた音声や動画のコンテンツを早送りで聞くのが容易くなりました。そんな中で、ニュースや情報をなるべく効率的にゲットしたいのは、社会人ばかりでなく、スマホで勉強する中学生、高校生、大学生も同様です。

そのために速聴は**「だいたい1・5倍速まで」**。スマホで音声コンテンツに触れる時には、ぜひ覚えておきたい数字です。

ただ、すべてにおいて1・5倍が良いのかというと、そうではありません。

例えば、自分にとって新しい分野だったり、苦手な分野だったりすると、とっつきにくい感覚があります。そういう場合には、1・5倍よりも遅くしないと理解度が下がりやすい。1・25倍や普通のスピードの方が良いでしょう。

一方で、それなりに知っている得意分野などであれば、2倍にしても理解度は下がらないかもしれません。自分がその分野にどれほど慣れ親しんでいるかで調節していくことが、聴力の効果的な理解につながります。

マルチメディア時代のインプットとは

「速聴」以外にも、「聞く」インプットをより効率的にする方法がもう一つあります。

それは、「見る」を加えること。単に「聞く」だけではなく、ビジュアルも加えること。マルチメディアで情報を吸収すると、理解度が格段に上がることがわかっています。

スマホでのインプットの最大の利点は、この**マルチメディアを簡単に利用できること**です。

例えば、ＹｏｕＴｕｂｅの動画は、「聞く」に加えて「見る」、さらに、「読む」機能もついている。話し手の表情や音声にプラスして、補足的な画像やコメントも表示されるので、どこが大事なポイントなのかも非常にわかりやすい。

そうしたマルチメディアの環境の中では、私たちの理解度が格段に違ってきます。記憶力や理解力は、マルチメディアからポジティブな影響を受けることが実証されており、スマホはその最善のツールだと言えます。

マルチメディアによるインプットが効果的であることは、最近では脳科学的に裏付けがなされています。わかりやすく解説しましょう。

私たちの脳の主要機能としておなじみの、「ワーキングメモリー」。長期や短期の記憶を現在の意識にホールドして、整理したり、組み合わせたり、なんらかの「コマンド」を意識下で実行する脳の働きのことです。

頭の中で、「123＋37」という計算をする時は、このワーキングメモリーがフル稼働しています。それぞれの数字を意識して、足し算を実行する。そうやって頭を使うことができるのは、すべてワーキングメモリーのおかげです。

そして、このワーキングメモリーは、どんな人でも容量がかなり小さい。3つから5つくらいのものを意識にホールドするのが限界であるとされています。

ですから、その小さな容量をうまく使いこなすことが、効果的なインプットのために求められてきます。

では、どうすれば効果的なのでしょうか?

それは、外から入ってくる情報を、「見る」「聞く」などの違う種類のインプットに分散させることです。

思い出してください。授業で先生の話を理解しようとしても複雑でお手上げだったのに、黒板に図にしてくれた途端、すぐに呑み込め理解できた。そんな体験を誰しもが持っているのではないでしょうか。

「聞く」だけではワーキングメモリーがパンクしてしまうものの、「見る」も併用してインプットの負荷を分散させる。そうすることで、ワーキングメモリーをより効率的に使うことができます。だから、「『読む』『聞く』『見る』のどれが最も効果的か」という問いも大事ですが、「どうやってそれらを混ぜた形でインプットができるか」という視点を持つことが大切なのです。

動画の習慣で避けるべきこと

しかしここで、要注意。マルチメディアのインプットなら、どんな形でも効果的であるというわけではありません。

それどころか逆効果になってしまうこともあるので、「読む」「聞く」「見る」を上手に、混ぜ合わせることが重要になります。何でもかんでもゴチャ混ぜでは、思ったような効果は出ないのです。

例えば、字幕。動画を見る時に、「聞く」「見る」だけでは心許ないので、字幕をオンにして動画の内容の取りこぼしを防ごうなどと思ったことはないでしょうか？　字幕を付ければ、「聞く」インプットに「読む」インプットも追加でき、聞き逃しても文字で追い直せるので理解度も上がるだろう……。そう考えるのも自然です。

しかしながら、実際にはそうではありません。動画視聴で音声に字幕を加えると、ワーキングメモリーの負荷を分散させられるどころか、字幕の情報量でオーバーフロー状態になりかねないのです。

例えば、パワポを使ったプレゼンテーションでは、資料画像に文字を入れすぎないようにと言われたりしますよね。それこそ、「何文字まで」と制限されることだってある。

それは、過度な書き文字によって、聞き手の注意力が文字の方に引かれてしまい、プレゼンの詳細が耳から入りにくくなるからです。うまく集中できなくなるわけです。

動画の字幕も同様に解釈できます。例えば字幕付きの映画で、字幕に気を取られて登場人物の表情を見逃したり、その場の雰囲気や気持ちが理解できなかったと感じたことはないでしょうか？

字幕によって、動画のインプットが増え過ぎてしまい、情報の理解度そのものが落ちてしまう傾向があるのです。

特に、**未知の分野を学んだり、新しい情報をゲットしたりする時には、ワーキングメモリーに負荷をかけてはいけません。**ついつい良かれと思って字幕を付けて、余計な情報を増やしてしまわないように気をつけましょう。

リアルすぎる映像は逆効果

似たような点で、マルチメディアの映像コンテンツの制作者側や、子どもの教材を選ぶ親御さんに、ぜひ知っていただきたいことがあります。

良かれと思ってかわいいキャラクターなどを学習コンテンツに使っている制作者がいますが、むしろ逆効果だったりします。内容と関連性がない場合、キャラクターに気を取られてしまって、理解度が落ちてしまう場合が多いのです。

だからといって、内容と画像が関連していれば「何でもＯＫ」というわけでもありません。

例えば、小学生がカブトムシの生態を学習するとしましょう。幼虫が蛹（さなぎ）になって成虫になる「変態」のプロセスを学んでもらいます。

そんな時、音声での内容説明とともに、非常にリアルな８Ｋで撮ったカブトムシの映像を流したとします。制作者の意図としては、「リアルなイメージを直接与えることで、学習効果が上がってほしい」。

しかし、実はこれも、逆効果。カブトムシのリアルな映像よりも、図式化したシンプルな画像を使う方が学習効果が高い、という研究結果があるのです。

図式化したシンプルな画像は、カブトムシの変態に焦点を置いて、その説明に重要な点を抜き出します。一方、カブトムシ自体の8K映像では、変態自体とはまったく関係のないディテールが目に入ってきてしまいます。そのため変態の本質を理解すべき時に、「わあ、すごい色だな、すごく強そうだな」などとリアルさに圧倒されて、ワーキングメモリの無駄遣いにつながりかねないのです。

要するに、**不必要なリアルさが、学習の妨げになってしまう**。内容に関連がないディテールが目に入ってしまい、大事なことが頭に残らなくなるということです。

以上、自分でインプットしたい内容の動画選びの際に、参考にしていただければ幸いです。無関係なキャラに釣られたり、無駄にリアル過ぎる動画はなるべく避けておくのが懸命です。

「スクショ」や「GPT要約」には要注意

さて、インプットといえば、気になるのがノート取りです。

勉強したり、情報収集をしたりする時に、学んだものをなんらかの形で記録したい。あとで見直したり、忘れた時に復習できるから——。

もちろん、その通りです。そのためにはノートの取り方が肝心です。

「え、ノート？　今はスクショの時代でしょ。ノート取りなんて不要じゃない？　ましてや『ＣｈａｔＧＰＴ』を使える時代なんだから」

そう思う人もいるかもしれませんね。当然のことです。

オンラインセミナーでは、スライドをスクショで「カシャ！」。リアルの講演やセミナーだって、スマホのカメラで「パシャッ！」。十分なノートを取る時間もないし、記録ならば写真が一番間違いない。

さらに、ＹｏｕＴｕｂｅ動画やオンラインの記事などでも、ＣｈａｔＧＰＴやその拡張機能を使って要約できる。それをＰＣに保存しておけば、内容のまとめを簡単に記録できる。

どちらもテクノロジーを活かした効果的な記録法のように思えますが、インプットという最終目的からすると、いずれもお勧めできません。「スクショ」も「GPT要約」もそれだけでは効果的インプットにつながるどころか、インプットの質を下げてしまいかねないのです。重要な点なのでしっかり解説しておきましょう。

まず、先にも紹介した「グーグルエフェクト」に注意しなくてはいけません。「グーグルでいつでも調べられるからいいや」と同様に、「完全にスクショで記録した」と思うことで、学んだ内容の記憶が下がってしまいかねません。

それればかりでなく、「スクショ」や「GPT要約」は、自分の脳のエンゲージメントを下げることにもつながりかねません。

メモやノートを取ることは、**記録を残しておくこと以上に、学んだ内容をいったん頭に入れて脳を動かすという働き**です。このポジティブな作用は、効果的なインプットには欠かすことができません。

「スクショ」や「GPT要約」が習慣になってしまうと、ついついメモやノートを取らなくなってしまい、そのせいで脳のゴールデンタイムを自ら手放してしまいかねないのです。

もちろん「スクショ」や「GPT要約」を、純粋に記録として使うこと自体は悪くありません。しかし、そうすることで、必要以上に安心して見直しを怠るなど、脳をエンゲージさせる行為が減ってしまうことがままあるのです。

実際に、講演や授業で、写真を撮ったり録音を許可されると、メモを取らなくなってしまうもの。それでは、ほとんど学んだ内容が頭に残りません。

「スクショ」や「GPT要約」を使ったり、録画動画や写真などで学んだ内容の記録がある場合でも、脳をエンゲージさせる手軽な方法としてメモやノートを取ることを怠ってはいけません。

読むインプットに効果的な手書きメモ

それでは、どうやってメモやノートを取るのが効果的なのか?

例えば、「手書きvsタイピング」というテーマの研究が、最近の心理学や教育学で盛り上がりを見せていました。

ノートに手書きでメモするのと、タイピングしてパソコンやスマホにメモするのと、どちらがインプットにはより効果的なのか。

手を使う手書きの方が、脳がエンゲージされるような気もする。一方で、手書きまでしてしまうとワーキングメモリーに負担がかかって、インプットの質が下がってしまうのではないか？　それに比べて、タイピングは手軽に高速でメモを取れる。

確かに悩ましく、日常の行為でもあるので興味深くはありますが、熱い科学的議論の積み重ねがそこにあるとはちょっと意外に思われるかもしれません。

出てきた答えは、「ケースバイケース」。どういうインプットをしているかによって、手書きかタイピングのどちらが良いかが、分かれてくることがわかりました。

まず、「読むインプット」の時は手書きが効果的だと言われています。読んでいる時には、自分で読む速度を変えられる。読みながら、同時にメモを取る人はあまりいませんよね。

そこで、読むことをいったん止めて、それからメモを書くわけですが、この時に**読んだ内容を脳で咀嚼（そしゃく）することができる**わけです。

ですから、読んでいる時は、手書きで書くことが効果的です。

本を読む時にも、線を引くだけでなく、まとめや自分の考えを書く。そうやって脳を使うことで、効果的なインプットができます。

今は、スマホに直接手書きできるアプリがあったりもしますので、やりやすければ、これを使ってもいいでしょう。

聞くインプットに効果的なタイピング

一方で、授業中やプレゼンなど、人の話を聞きながらの手書きには、少々注意が必要です。

講義というのは、自分のペースで人の話を止めたり再開させたりはできません。ですから、話を聞きながら、メモを取らなくてはいけない。

これがワーキングメモリーには負担が大きいわけです。先生の話が難しい、プレゼンの内容が複雑。そんな時に、手を動かしての「ながら作業」をしていてはワーキングメモリーがパンクしてしまい、理解できるものも理解できなくなったりします。

学校の授業では、先生の話や板書を手書きでノートにメモしていた人が多いと思いますが、実は、脳科学的には考えものなのです。

ですから、教えるのが上手な先生たちは、

「手を止めて聞いてください。聞いてから、ノートに取ってね」

と、聞く時間と書く時間をしっかり分けてくれていたのです。その方が学習には効果的だからです。

一方、授業やプレゼンなどで人の話を聞いている時には、タイピングが効果的です。

もちろん、タイピング慣れしていることが前提ですが、パソコンやタブレットでタイピングをする方が、手書きよりも断然速くメモを取ることができます。だいたい平均で2〜3倍くらいの速さの違いがあると言われています。

さらにスマホでは、「フリック入力」などの異なる入力方法があります（図2－2）。慣れてくれば、ボードでのタイピングよりも速く入力することが可能です。

もちろん、キーボードやスマホ入力が苦手で、長年の手書きで速度もなかなか速い、というような人は、手書きの方が負荷がかかりにくいということもあるので、これまでの習慣を無理して変える必要はないでしょう。

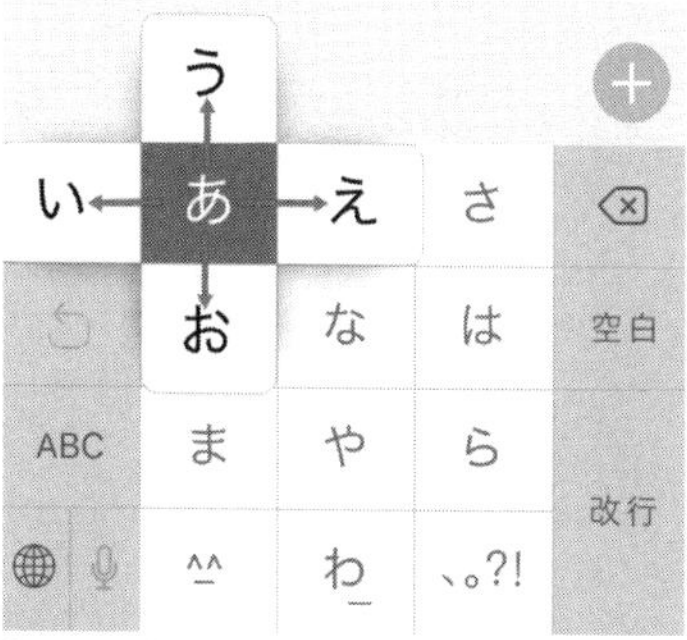

【図2-2】フリック入力とは、スマホの文字画面から指を離さずに、前後左右に表示される文字に指を動かしながら入力する方法。

しかし、速度と脳への効率から見れば、聞いている時はタイピングに分があるのです。

タイピングなどのデジタル入力には、**脳のエンゲージメントの効果以外にも、記録の面でメリットがある**ことも忘れてはいけません。

スレッドや見出しをうまく使って、あとからメモにアクセスしやすいように保存できたり、キーワードで検索することだってできる。

手書きのノートをうまく使うことも可能ですが、長年にわたる記録やメモの量が多い場合には、やはり限界もあるわけです。

デジタル化によるインプット情報の保存とアクセスの効果も、これからは考えておくことが必要かもしれません。

「リトリーバル」という万能策

メモを取ることが脳のエンゲージメントにつながり、効果的なインプットを生むことの理由を、もう少し脳科学的な視点から解説しておきましょう。

まず、効果的なインプットには「アウトプット」が必要などと言われます。

アウトプットといっても、大げさなことをする必要はありません。ノート取りやタイピングなども、学んだことをいったん頭に通して、文字として「アウトプット」しているので、効果的なインプットにつながります。

そして、なぜ、そうした小さなアウトプットが大きな学びの効果を生むのか？

鍵となるのは、一度、見たり学んだりしたものを、「こうだったな」と頭の中で思い返してみること。この**「頭の中での思い返し」**を**「リトリーバル」**と呼びます。

リトリーバルは、100年以上もの研究の中で高い効果が確認されてきた勉強法で、学んだことを自分の頭だけを使って思い出す、記憶を呼び起こす、というものです。

自分の脳だけで物事を思い出すことで、その記憶は定着しやすくなります。リトリーバルのすごさは、年齢や能力にかかわらず、幅広い層の学習者に効果的であることです。また、効果の種類も多種にわたることが特徴的で、記憶の定着だけでなく、学んだことを整理する「まとめる力」や、他の問題に当てはめて考える「応用力」にも、優れた方法であることがわかっています。

リトリーバルの核になるのは、自分の頭だけで思い出すということです。ノートを振り返ったり、テキストを読み返したり、動画の関連部分を再生したりなどすることなく、「うーん、どうだったかな?」と、文字通り頭を振り絞って思い出す。

そのことで脳のエンゲージメントが上がり、結果として、記憶やまとめ、応用力のアップにつながるのです。

インプットしたり、勉強をする時には、積極的にこの「うーん、どうだったかな？」の要素が入った勉強法を使うのが効果的です。


そうした視点から見てみると、よく親しんだ勉強法の中にも、効果が高いものと低いものが混在しているのがよくわかります。

例えば、テキストやノートの見返し。「よし、勉強するぞ！」と、テキストやノートを読み直す。これでは、自分の脳だけを使ってやったことを思い出す機会が十分に得られません。テキストやノートを直接見るので、思い出すのに脳の頑張りが必要ありません。そのくせペラペラとページをめくっていけるので、勉強を「やった感」に陥りやすい。

そうした勉強法には、十分に注意が必要です。

一方で、ノートに見出しを設けて、見出しを見るたびにその内容を思い出す。そのあとに、確認としてノートの内容を読み返す。このようなやり方は非常に効果的です。

同様に、マーカーで色づけして、色つきの下敷きで隠すマスキングの勉強法も、リトリーバルの効果があります。

超効果的な三つの動画習慣

さて、ここまでお話ししてきた内容をベースに、スマホ学習をより効果的なものにする三つの動画習慣をまとめておきましょう。

一つ目は、動画を見る前に、**「目次やまとめを出力してざっと内容を理解しておく」**こと。最近のYouTube動画は、ChatGPTを使えば要約を出すことができます。要約を出さなかったとしても、「この時間にこんなことを語っている」といった見出しが出ていたりします。まずは、これを最初にざっと見ておくことです。「これからこういうことが語られるんだな」ということをインプットした上で実際の内容に入ると、理解度が上がります。

これから学ぶことが何かを学ぶ。つまり、「学ぶことを学ぶ」ため「メタ認知」(認知の認知)と呼ばれるもので、「メタ認知」は頭の良し悪しの2倍も学習効果を左右すると言われています。つまり、学習効果は「メタ認知で決まる」と言っても過言ではないのです。

かつては動画があっても、まとめや見出しはありませんでした。ですから、こうした学習はできなかった。しかし最近では、スマホやChatGPTでそれが可能になったので、ぜひ実践していただければと思います。

まとめがデジタルツールを使って簡単にできる現在は、まとめを保存のために使うのではなく、学ぶ前に見ておくものとして使った方がより効果的なのです。

二つ目は、動画学習をする際に、**「10分ごとにメモする」**ことです。ノートの取り方はあまり気にしなくていいでしょう。殴り書きでも、スマホの箇条書きメモでもよい。

肝心なのはリトリーバルで、それをこまめに入れていくこと。動画の場合には、自分のペースで区切って「うーん、どうだったかな？」の時間をちょくちょく作ることができます。ぜひ実践してください。

動画の内容や自分の得意不得意にもよりますが、例えば10分見て、いったん止める。そして何も見ずに、動画を見たあとの自分の記憶だけを使ってメモを取る、というのをやりましょう。

しかし、ちょくちょく動画を止めていてはインプットの時間がかかり過ぎてしまう！

そこで大事なのが、三つ目の習慣で、**「速度は1・5倍」**です。そうすれば速く見られるわけですが、浮いた時間をリトリーバルに充てるのです。

15分の動画なら、1・5倍速で見ると10分になります。イメージとしては、元が30分の動画であれば10分動画を見て、5分考え、10分見て、5分考える。

考える時間、リトリーバルの時間のために早回しをするということです。また、動画を見る前の、目次や構成を見る時間に使ってもいいでしょう。

もちろん自分の得意不得意に合わせて、速度を少し遅くしたり、動画を見る時間をもっとこまめに区切ったりするのもいいでしょう。必ずしも15分の枠で考える必要もなく、リトリーバルの時間を速度調整で完全に稼ぐ必要もありません。

GPTでのまとめ作業に、10分ごとに動画を区切って、5分のリトリーバルをする。今までできなかったことが、スマホやデジタルでできるようになりました。これを学習にも積極的に活用していきましょう。

第3章

スマホゲームは「エンゲージメント」の最強ツール

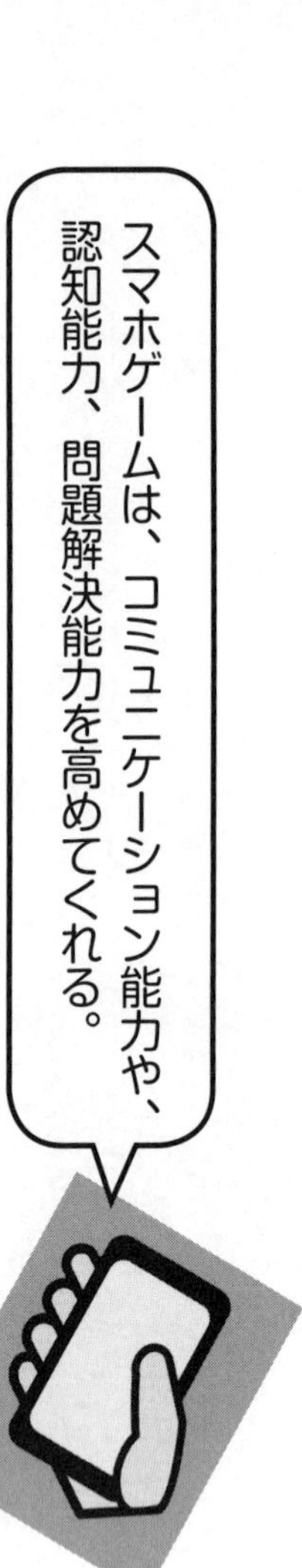
スマホゲームは、コミュニケーション能力や、
認知能力、問題解決能力を高めてくれる。

アクションゲームはやはりすごい

スマホゲームが、子どもの脳や大人の認知能力に、どのような影響を及ぼすのか。「子どもへの影響は?」「自分の仕事のパフォーマンスにも大丈夫?」などと、誰もが気になります。

そんなわけで、かなり前から、体や心の健康、認知能力の発達などに関して、ゲームが科学的に研究されてきました。

そして、スマホ時代の今、ゲームがより手軽にプレーできるようになってきています。それだけに、ゲームが及ぼす良い影響も悪い影響も十分に理解して、うまくスマホを使っていきたいところです。

本章では、科学的に確認されてきたゲームの良い影響を解説していきましょう。

ゲームの研究の歴史で、最も早くから注目されてきたのが、アクションゲームでした。なんとなくアクションゲームをやる時は、集中して一生懸命に手を動かすので、脳のエンゲージメントも高まりそうな気がするのではないでしょうか?

その直感の通り、アクションゲームが私たちの認知能力に良い影響を与えうることは、かなり分厚い科学的エビデンスをもって示されてきたのです。

視覚の情報処理能力も上がるし、視野も広くなったり、聴覚の反応も良くなったりする。そんな結果もゲーム研究の初期から出てきていました。

最近では、脳科学的な立場からも、やはりアクションゲームは脳に良かった、という研究も出てきています(詳しい文献例をお探しの方は、巻末をご覧ください)。そうやってゲームの認知能力への良い影響は、かなり周知されるようになりました。


しかしやはり、注意するべき点は、**「やり過ぎてはいけない」**ということです。

ゲームが与える良い影響はたくさん確認されているものの、当然何事もやり過ぎは厳禁です。ゲームにせよSNSにせよ、やり過ぎてしまえば他のことに時間が回らず、運動や仕事、勉強などのバランスの取れた生活をおろそかにしてしまいます。そうなってしまえば、ポジティブになりうるゲームがネガティブなもので終わってしまいます。

そこで、本書でもやり過ぎをどのように見分けて対策するかについて、第5章で取り上げます。

大好きなゲームを完全にシャットアウトしたり、大人が子どものゲームを完全に取り上げたりするのは、スマホ社会の今、現実的な解決法でないのも認めなければいけません。

科学的に確認されたゲームのポジティブ面をよく理解して、バランスの取れたスマホ生活を身につけることが、現代に求められる心がけなのです。

「21世紀スキル」アップの人気ゲーム

ゲームの頭への良い影響に話を戻しましょう。

アクションゲームが主体だったゲーム研究ですが、このところ他種類のゲームについても盛んに研究が進められ、アクションゲームとはまた異なる良い効果がそれぞれのゲームに見出(みいだ)されてきました。巻末にいくつか論文例を添えてありますが、さまざまな大学や研究機関による研究が盛んになってきています。

サバイバル生活や建築などを楽しめるゲーム「マインクラフト」。（Microsoft, Mojang Studios, SIE Inc.）

例えば最近、注目を浴びたのが、「マインクラフト」。ブロックのようなものを使って世界を創っていくので、**クリエイティビティが高まる**ことがわかりました。また「ドラクエ」のようなロールプレイングゲームや、「信長の野望」のような戦略モノもそうですが、これらの謎解きや陣取り合戦で**問題解決能力がアップする**ことも報告されています。頭で考えながら自分の判断を積み重ねていくことで、問題解決能力のトレーニングになるのです。

さらに、前述の「ダンスダンスレボリューション」のように、**エクササイズ効果が期待できる**ゲームもあります。うまくなればなるほど効果が上がるだけでなく、これまで運動に興味のなかった人が興味を持てたり、体を動かす習慣を遊びながら身につけられたりする良さもあるようです。

それから最近では、「フォートナイト」など、不特定多数の人たちとオンラインでプレーするマルチプレーヤーゲームも大人気です。こうしたゲームが実は、『21世紀スキル』を身につけられる」といった研究まで出てきています。

オンライン参加者の最後の一人になるまで戦うゲーム「フォートナイト」。(Epic Games Inc.)

難しい状況に、どう対峙するか。どんな解決策が可能で、どういう手順を踏んだらいいのか。プロジェクトをどう動かすか。じっくり考えて、自分なりのアイデアを絞り出していきながら、ゲームにエンゲージする中で、**クリエイティビティだけでなく、クリティカルシンキングや問題解決力**も鍛えられていきます。

また、マルチプレーヤーのオンラインなので、他の人と**コミュニケーションしたり、コラボレーションしたりする力もつく。**

さらに、世界各国の人たちが楽しめるように世界中のいろんな文化がちりばめられているため、これらが学びにつながり、歴史や文化について楽しみながら造詣を深められる。

つまり、**他文化コミュニケーションの能力を身につける**チャンスも最近のマルチプレーヤーゲームにはあるのです。

ですから、ゲームをするなら「21世紀スキル」をつけられるマルチプレーヤーのオンラインロールプレイングが良い。そんな見解まで現在のゲーム研究で示されているのは、ちょっと驚きではないでしょうか。

「アングリーバード」の学習効果

さらに、意外な学習効果で注目を浴びたゲームもいくつかあります。

例えば、「アングリーバード」。スマホやタブレットで非常に人気が出たものの一つです。パチンコのような発射台から、鳥に見立てた石のような物体を投げて目標物を倒していくゲームですが、物が飛んだり、倒れたりする様子が非常にリアルに描写されています。

そのため物理の授業で、「これが放物線だ」とチョークと黒板で教えられるよりも、「アングリーバード」にエンゲージして複雑なものの動きを観察する方が、**物理法則のイメージを捉えやすく、**自分でゲームの中であれやこれやと試してみることで、

「こんな時、物体はこんな倒れ方をするのだな」

などと、簡単にわかりやすくイメージすることができるのです。

パチンコでキャラクターを発射して障害物を壊すゲーム「アングリーバード」。（Rovio Entertainment Ltd.）

実際に、そうした効果を見越して、とある物理の先生が授業で「アングリーバード」を使い始めました。その上で子どもたちの学習効果を科学的に研究した結果、「ゲームを取り入れた方が、ゲームなしで勉強するよりも、学習効果が上がる」ということがわかってきたのです。

実は、言語や歴史などにおいてゲームに優れた学習効果があることは、それより以前に、確認されていました。しかし、理系科目では、ゲームで学ぶ効果はあまり見込めな

いというのが通説だったのですが、「アングリーバード」によってそれが覆されたのです。

ゲームと学びの垣根が崩れてきた

確かに、スマホゲームの良さは、その身近さなので、それを学びに利用できれば、これほど最強のツールはありません。

スマホゲームで気軽に学べるどころか、場合によっては、「アングリーバード」のようにゲームの方が学習効果が高いなんていうこともある。

そして、ゲームは大人も子どもも大好き。さまざまな調査がありますが、子どものゲームの平均時間は、1日2~3時間になるというような報告もあります。

ざっくりと概算すれば、年間1000時間程度で、子どもが一年を通して学校にいる時間と同等です。

それぐらい楽しく、病みつきになる。実際に子どもがそれだけやっている。その時間の少しでも、学びに費やすことができたなら。

そんな考え方から、学校などの教育現場でも、ゲームの要素を取り入れた学習が積極的に取り込まれてきています。

決して、新しい考え方ではありませんが、オンライン教育や教育テクノロジー（EdTech）の進化で学びのゲーム化、いわゆる**「ゲーミフィケーション」**が新しいレベルで発展しています。子どもも大人もゲームを楽しむ感覚で学べるような、さまざまなアプリやソフトが開発されてきています。

現在子育て中であったり、外国語習得や資格試験を目指す社会人の方々は、タブレットやスマホの端末用のゲーム学習アプリのお気に入りがあったりするかもしれません。

こうして、学びとゲームの垣根がどんどん崩れつつあります。

ひと昔前のような、「遊びと学びは違うもの」「ゲームで知識やスキルは身につかない」「ゲームでなんとか学べるにしても、付け焼き刃だから、やはりちゃんと勉強しなくてはいけない」――そんな時代は終わりを迎えているのです。

学びとゲームの融合の流れはさらに進んで、教育の未来の風景の一部になりつつあります。

子どもにはYouTubeよりもスマホゲームを

さてここで、子どものスマホ使用にフォーカスしてみましょう。

子どものスマホ使用で最も人気があるものの一つが、YouTubeです。アメリカのピュー研究所のインターネットユーザーの調査では、0～2歳の子どもで57%、3～4歳で81%、5～11歳で90%の子どもたちがYouTubeを使っているということです。

これはスマホのゲーム使用と並ぶ人気です。

スマホやタブレットを完全に取り上げることは現実的じゃない。だから、より良い影響が出るものを子どもにやってほしい。例えば、YouTubeとゲーム。どちらが子どもの脳に良いのでしょう？

そんな疑問を、私もちょくちょく耳にします。

私のお勧めは断然ゲーム。子どもにスマホやタブレットを使わせるならば、なるべくYouTubeでなく、ゲームをやらせるようにするのをお勧めしています。

ゲームは自分の手や目を動かし、考えて、画面の動きに反応しなくてはいけないので、よりエンゲージメントが高まります。

大人であれば、ＹｏｕＴｕｂｅ動画に集中して学びを深めることができるかもしれませんが、子どもは必要なスキルをこれからまだまだ学んでいく段階です。

もちろん、ＹｏｕＴｕｂｅも次から次に動画を選ぶことでエンゲージすることもできますが、やはり、**ゲームのエンゲージ力**にはかないません。

また、ＹｏｕＴｕｂｅ動画だと知識が入ってくるので、子どもの学びに良いという考えもできますが、ゲームでも知識が入ってくるのは前述の通りです。

動画を見る場合はついつい受動的になりがちなので、よりエンゲージできるゲームも織り込みながら、子どものスマホライフのバランスを見つけるのが得策です。

さらに、一つのゲームをやり続けるだけではなくて、意識していろんなゲームをやらせてあげることで、反射神経や視覚の情報処理能力、クリエイティビティやコミュニケーション能力などを多面的にサポートできるのです。

「遊び」vs.「ゲーム」はもう古い

子どものスマホゲームについては、まだまだ以下のような声もあります。

・スマホゲームには多少の良い効果があるかもしれないが、やはり子どもに大事なのは、リアルな遊びだ。
・手足を動かしてこそ、体というものを理解でき、友達と遊んでこそ、社会性を養うことができる。
・ゲームの中でバーチャルと向き合っていたところで、怒りや悲しみなどの感情をコントロールする力は身につかないだろう。
・スマホゲームをするくらいなら、外で元気に遊んでこい。もともと子どもにとってはそれが自然であり、心にも体にも良い。

これらは非常に的を射た指摘です。やはり、勉強の他にも、運動や人との対面のコミュニケーションなど、バランスの取れた生活が子どもだけでなく、大人にも必要です。

また、決められた工程をこなすのではなく、遊びの中で自由に発想したり、想像したりするのも大事な脳のトレーニングになります。

しかし、「遊びが大事だからゲームをやってはいけない」とか「遊びの方がゲームより優れている」ということにはなりません。

なぜなら、ゲームが対面の学習より効果を発揮することがあるように、スマホゲームも、遊びの持つ優れた効果を同等に発揮するからです。


例えば、マルチプレーヤーのオンラインゲームでは、他のプレーヤーとの「対話」が大事なゲーム機能の一部になっています。オンラインで友達と一緒にゲームができ、逆にそのやり取りが前提になっているゲームも多いのです。

私が子どもの頃でも、ファミコンで近所の友達と一緒にゲームしながらコントローラーを取り合って喧嘩したり、一緒にプレーして笑ったり、仲間とのやり取りやコミュニケーションの機会がふんだんにありました。

実際、ゲームをやる前よりも、ゲームをやったあとの方が友達が増えたという実感を持つ人が多く、コミュニケーション能力にも、間違いなく活かされているのです。

マルチオンラインゲームだけではなく、ロールプレイングゲームでも、実はいろいろなキャラクターが出てきて、それらのキャラクターとのストーリーの中に入っていかなくてはいけません。

しかも、そのキャラクターの気持ちを汲んでみたり、状況をうまく想像する力がないと、ゲームをその先に進められなくなったりします。バーチャルなキャラクターとの「対話」も、ゲームの重要な要素なのです。

つまり、そうしたゲーム内のコミュニケーションを通して、人の心理状況を素早くうまく理解して、言葉のやり取りができるようなトレーニングができているのです。

また、「楽しいから、やり過ぎてしまう。でも、やめたい」「やめないと叱られる」といった、自分を抑制する力もついてくるということも研究でわかってきています。

心理学の研究が進み、子どもの感情や社会性の発達が明らかになるにつれて、認知、感情、社会性は、ゲームでも養えることが、科学的にも実証されてきています。

しかもこれは子どもだけではなく、大人についても同様です。ゲームをすることで、コミュニケーション力に自信がついたり、対人折衝能力が上がったりと、良い影響がいくつも報告されています。

つまり、**ゲームは日常のコミュニケーションで養うべきスキルを養ってくれる**のです。「ゲームは害悪」と断罪して無理に遠ざける必要は、いっさいないのです。

もちろん、こういう話をしたからといって、外遊びが重要でないわけではありません。スマホゲームも大事な能力を養うからといって、それだけやっていればいい、という話ではありません。逆に、「遊び」vs.「ゲーム」の図式で、遊びの方が良いからと、ゲームをゼロにする必要もありません。

ゲームでも、遊びと同じように培えるところは培えるし、外遊びで培えるところは外遊びで培えればいい。子どもにゲームをやらせること自体に、罪の意識を感じる必要はありません。大事なのはやはり、バランスなのです。

競い合いには要注意

前述のように、マルチプレーヤーのオンラインゲームでは、みんなでプレーして協力する力が身についたり、仲間とつながることで精神的なウェルビーイングがアップすることがわかってきています。

しかし、そうした効果を十分に発揮させるために、ゲームをプレーする時に注意するべきことがいくつかあります。

まず、「やっぱりか」というところですが、長くやり過ぎてはいけません。特に、マルチプレーヤーゲームはみんなとプレーしながらどんどん盛り上がってしまいがちですが、楽しみながらもほどほどにとどめておくことが大事です。そのためにはプレー時間を「2時間」などと最初に決めて、その時間が来たら「今日はここまで。また次ね」と「やめる習慣」を身につけることです。

また、コンペティションのような競い合いに熱くなってしまうと、**ウェルビーイングがダウンしてしまう**傾向があります。その理由はより詳しく後述しますが、ここでは「内発的な欲求」と「外発的な欲求」の違いを押さえておきましょう。

ゲームをやること自体が楽しい、だからゲームがしたいというのは「内発的な欲求」。一方で、それとは別に、ゲーム自体に楽しみを見出すのではなく、ゲームをした結果として得られる勝ち負けや報酬などにやる気を感じるというのが「外発的な欲求」。前者と後者には、大きな違いがあります。

後者の欲求が大きくなると、ゲームをやること自体に満足するのではなく、相手に勝つためにやる、勝つという結果が満足をもたらすことになります。そうなると、ゲームをやっていても、勝てなければ満足できなくなるのです。

しかも怖いのは、内発的な欲求よりも、外発的な欲求の方が強いため、結果として、勝つということに走らされてしまう。これを長く続けていると、メンタル面でうつ病などのいろいろなリスクが生じることがわかっています。

競い合い、というところには、くれぐれも気をつける必要があります。

それよりもゲームの内容や他者との関わり、コミュニケーションの楽しみなどを意識すると、心のウェルビーイングを良好に保ちながら長くゲームを楽しんでいくことができます。

ゲームが育てる成長マインドセット

ゲームにはもう一つ、大きな利点があります。

それは今できないことでも「やればできる」と思える「成長マインドセット」をアップさせること。「成長マインドセット」とは、自分の知性や能力が常に成長しうると考える心構えのことです。例えば、「今日はできないけれど、努力すればできるようになる」というのは、成長マインドセットを持つ人の考え方です。

このコンセプトは、スタンフォード大学の教育学教授であるキャロル・ドゥエックのミリオンセラーとなった著書『マインドセット「やればできる!」の研究』（草思社）で一気に世に知られるところとなりました。

これまでの研究の蓄積で、成長マインドセットを持っている人は、新しいことに挑戦し、苦境にも忍耐強いことがわかっています。周りからの批判や自分のミスから学びを効果的に得ることができ、勉強の成績や仕事のパフォーマンスが高いなど、さまざまなポジティブな側面が明らかになってきています。

それに対して、自分の能力は固定されたものだとするのが「固定マインドセット」です。能力や知性は生まれつきのもので、努力を重ねても変わらない。そんなふうに「僕はどうせ能力がないので、何をしても変わりません」などと思ってしまうのは、固定マインドセットの表れです。

固定マインドセットになってしまうと、「失敗から学べる」と考えるポジティブな意気込みを持てないため、失敗や間違うことのリスクを回避しがちです。また、自分の能力は生まれ持ったものだと考えてしまうため、新たな探求に興味を持ちにくくなってしまいます。

だから、子どもはもちろん大人にとっても、やる気や好奇心をアップさせ、パフォーマンスを上げるためには、固定マインドセットを避けて、成長マインドセットを持つことが大切になるのです。

そして、ゲームは成長マインドセットの最大の友。ゲームをすることで、成長マインドセットをサポートすることができます。

ゲームの仕組みの中では、最初はまったくできないことが、次第にできるようになっていく。失敗を繰り返しても、財産や命を失うことなく、簡単にやり直しができる。ゲームを繰り返していく中で、できなかったことが、ついにできるようになる。

ゲームは、そうした**「成功体験」をリスク少なく提供してくれる**、実に効果的な成長マインドセットの育成装置だったのです。

「あなたの能力は上がるんだよ」

しかし、固定マインドセットを持つ人がゲームをやると、ちょっとやっただけでも「自分にはムリだな」とやめてしまい、その結果、余計に固定マインドセットに陥ってしまうという心配もあるかもしれません。

しかし実際には、最初からまったくダメ、というゲームはほとんどありません。

実際、ゲームの作り手は、多くのユーザーがクリアできるかできないか、そのギリギリのところを衝いて制作をしています。なぜなら、一見できなそうでも次第にできるようになることで、人はゲームに夢中になれるからです。設計がまずくてまったくクリアすることができないゲームのことを、昔は「クソゲー」なんて呼んでいましたが、それくらいに、ある程度の努力をすれば次の面に進めるかどうかがゲームの要でもあります。

言いかえれば、それだけゲームは、成長マインドセットをサポートするように設計されている、ということでもあるわけです。


それから、「ゲームは成長マインドセットを自分にもたらしてくれる」という意識をはっきり持つことも大切です。それがゲームの最重要心得だと言ってもいいでしょう。

子どもには、

「あなたの能力は目には見えなくても、いつも少しずつ成長しているんだよ。だから、ゲームもうまくなっていける。成長マインドセットが大事だね。もう少し頑張ってみよう」

と、伝えてみましょう。

最初はできなかったことが、努力した結果できるようになった場合も、そのことを言葉で伝えてほめてあげましょう。子ども自身ができなかった時のことを思い出し、現在できるようになったという変化を実感することで、成長マインドセットにつながります。

ゲームをすることで、**成長マインドセットを伸ばせているのだと自覚すること**。それだけでも、自分自身が変わっていくのです。

ボードゲームか？　スマホゲームか？

スマホゲームとボードゲームの違いについても、興味深い研究があります。

「スマホゲームはダメだけど、ボードゲームなら良し！」

そういう意見を耳にしたことはないでしょうか？

スマホゲームは子どもにあまりやってほしくないが、チェスや囲碁・将棋なら論理力のトレーニングになりそう。そんな親御さん。

スマホは悪影響が怖いから控えるが、趣味の将棋は頭の体操でボケ防止になるからいくらやってもいいだろう。そんなリタイア組。

スマホゲームはダメ。一方で、ボードゲームは頭を使うし、論理力や記憶力、さらに、集中力、空間認識力、思考の柔軟性がアップする。

そうしたイメージがこれまで蔓延ってきました。

しかし、最近の研究が明らかにしたのは、真実はその真逆であること。実は、認知能力のアップは、スマホゲームには期待できても、ボードゲームには期待できないということがわかってきたのです。


ボードゲームをやることの効果は、以前から心理学などで研究されており、ボードゲームをたくさんやっている人の認知能力が高いということを示す報告がいくつか出てきていました。

ところが詳しく調べてみると、ボードゲームを好んでやっている人は、おしなべて30代から40代で、高学歴の傾向があるということがわかってきたのです。

つまり、「ボードゲームをやっている人たちが頭が良い」という結果が出たのは、「もともと頭の良い人たちが、好んでボードゲームをやる傾向があった」からだったわけです。

実際、年齢と学歴の影響をなくしてみると、ボードゲームをやればやるほど認知能力が上がるという効果は確認されなかったのです。

一方で、スマホゲームはその逆。前述のように、スマホゲームをやるといろんな認知能力が実際に上がっていくことが明らかにされています。しかも、その効果は年齢や学歴に関係ありません。

確かに親としては、チェスや囲碁・将棋をやってくれていた方がなんとなく安心、という人もいるかもしれません。

しかし、本当のところは、ボードゲームをするか、それともスマホでシューティングゲームをするかで言えば、**シューティングゲームの方が子どもの認知能力には良い**というのが科学が出した答えなのです。

ゲームのネガキャンは終わりつつある

ここまでお話ししてきたような、ゲームの良い効果については、なんとなく想像してはいても、「確固たる証拠が得られない」というイメージを持っている方が多いかもしれません。

そのため、今も不安になりながらゲームをしている人や、そんな子どもたちを見守る親御さんも少なくないと思います。

それだけに、本書では、実際に確認されてきたさまざまなポジティブ面を明らかにしようと思ったわけです。

例えばアメリカでは、ゲームについての書籍がたくさん出ています。『ゲームの心理学』『良いゲームの習慣』『ゲームとの付き合い方』など、数多くの本があります。印象的なのは、「ゲームが悪い」「ゲームに問題がある」と断定するようなものが近年だいぶ減ってきたということです。

もちろんゲームにはやり過ぎなど心配なところもあるけれど、いろんな良いところがあるというメッセージが目立ち始めてきています。

そうしたゲームのポジティブ面が研究結果として出てきたのは、大まかに言って、１９

90年代からのことです。

それよりだいぶ前からゲームは大流行していました。ゲームセンターなどにあったアーケードゲームは1970年代にヒット、任天堂のファミコンなどで、お茶の間にテレビゲームが現れたのが1980年代前半のこと。

当初はやはり、ゲームのネガティブ面を心配するネガティブキャンペーンが張られていました。

それから10年ほど経て次第に研究が進み、「あれ？　ポジティブ面がいろいろあるぞ」という結果が出てくるようになった。

そして今、当初あったゲームのネガキャンが下火になってきている。約50年。半世紀ほどの時の流れを経て、**ゲームの効果の本質がようやく認知されるようになってきた**のです。

私はゲームにどハマりしていた

ちなみにその流れは、私の個人的体験からも、身に沁みて実感してきました。

私は子どもの頃、ゲームにどハマりしていました。アーケードからテレビゲームまで、幼少期からゲームと一緒に育ちました。親と行った喫茶店でインベーダーゲームをやらせてもらったり、任天堂のファミコンが出てきた時は、家族みんなで盛り上がりました。

そうやって育ったので、まずまずのゲーマーに成長しました。その頃両親は花屋を営んでいて、毎日夕方まで営業していました。ですから私は、学校から家に帰るとひたすらゲームをやっていたのです。

小学校低学年の時は、「ドラクエ」が大ブームでした。私や兄のどハマリぶりを親が気にしている様子はなかったと思います。むしろ、家で時間を過ごすためには、ゲームはなくてはならないツールでもありました。親は仕事に頑張っているわけですから、私も親の邪魔をしてはいけない。おっと、そうではなくて、ゲームにハマり、ひたすら夢中になっていただけかもしれませんね。

そしてもちろんのこと、私も親も「ゲームには脳に対してのポジティブ面がある」などと知っていたわけではありません。

ある日のことです。行政の人が我が家の店にやってきて、私が花屋の店の奥の小さなスペースで、ずっとゲームをやっているのを厳しく指摘したのだそうです。

「こんなことをしていてはいけない。子どもをこんなところに押し込めて、悪影響が出るぞ」

しかし、私はのちに東京大学に入学し、アメリカに渡り、今はスタンフォード・オンラインハイスクールの校長をしています。そして私のこれまでの学友のほとんどは、皆なかなかのゲーマーです。これは世代と時代背景の影響だと思います。

ゲームが私たちの心や体に「悪影響」でしかないのであれば、私や私の学友たちは何処に行っていただろうかと、ふと疑問に思わずにいられません。私だけでなく、同世代の仲間たちはよく「ゲームをやりまくってたけど、ちゃんとした大人になってるよな」というように威勢良くのたまったりするものです。

もちろん、私やその仲間が「ちゃんとした大人になっている」かどうかは、皆様のご判断に委ねますが（笑）。

何はともあれ、やはり、なんといってもバランスです。スマホゲームのやり過ぎが禁物ならば、その逆に完全なゲーム禁止も現実的ではありません。

スマホ時代の現代は、至るところにゲームが存在しています。いわば、誰もが一人ひとり、ゲームセンターを有しているような状況です。ですから、ゲームの良い面と悪い面を理解した上で、自分なりの付き合い方を探っていくことが必要です。そうです、**あくまでも、ポジティブに、**です。

「52分やって17分休憩」のススメ

そこでやっぱり問題になるのが、バランスを上手に保ってゲームやスマホと付き合っていくこと。

それが簡単にできればいいのだが、やはりゲームは楽しくて、熱中しやすくて、やり過ぎてしまいがち。

「ゲームやスマホのやり過ぎ」とその解決法については、本書の第5章でたっぷりと解説していきます。

ここでは、ゲームのやり過ぎ問題にちなんで、脳をボーッと休ませる退屈な時間の重要性についてお話ししておきましょう。

まず、現代社会に住む私たちは、脳の認知能力を稼働させていつも集中することばかりしがちだ、という認識は持っておいた方がいいでしょう。

特に日本では、「スキマ時間」をどうやって埋めるのか、という発想が強過ぎる気がします。最近そういう論調も増えてきましたよね。

電車の中でもスマホを見ていたり、ゲームをやっている人も多い。何もしていないと暇でつまらないのも共感できますが、常に脳を動かそうとしてしまう。

ただそれは、必ずしも正解ではありません。ボーッとしながら「頭を使っていない」と思う時でも、実は私たちの脳は働いています。物事を考えたり集中したりしている時とはまた違う、脳の別の部分がフル稼働しているのです。

しかも、そうした頭の「アイドリング状態」の時に働いている脳の部分が、非常に重要な働きをしていることがわかってきました。

例えば、クリエイティブに考えたりする脳の力は、その部分をいかにうまく動かせるかにかかっていたりするのです。

だから、ボーッとする時間がないということは、使うべき脳の一部を使っていないことになる。その結果、クリエイティブな思考など、現代に重要な力を身につけ損なっていることになってしまいます。

ですから、大人も子どもも、ボーッとする時間は意識的に作った方がいい。しっかり休憩すること、何もしない時間、もっと言えば、あえて**「つまらない時間」を作るのが大事**なのです。

そしてそれには、休憩が欠かせない。回り続ける脳をクールダウンする時間が必要なのです。

では、どれだけ集中して、どれだけ休憩するのが望ましいか。

これまでに、いろいろな研究が報告されていますが、おおよそどの研究を見ても、30分から2時間くらい集中したあと、10分から30分くらいの休憩を取るのがベストであるとしています。

例えば、あるアメリカのＩＴ会社の調査では、「52分やって17分休憩」などと具体的な数字が示されました。これは、とあるＩＴ企業のトップパフォーマー10％を集めて、その人たちのオンとオフの配分をデバイスによって追跡した平均値だということです。

いかがでしょう。本章でも繰り返し述べてきたように、何事もぶっ通しでやり過ぎてはいいことはない。それを実感していただけるのではないでしょうか。

ゲームは本来楽しいものなのに、「やっぱりゲームは良くない」「本来ならば本を読んだり、何か自分のためになることをやった方がいい」と思いながらゲームをやっている人たちがまだまだいます。

ゲームに限らず、「スマホのせいで生産性が持てていないな」と思っている人も多い。3人に1人がそう思っているというデータもあります。

しかし、この章を読んで改めて知ってほしいのは、必ずしも罪悪感を持たなくていいということです。

ゲームには良い効能もあるのだ、ということ。スマホやゲームの、ネガティブキャンペーンに触れても、「本当に怖い。でもやめられない。どうしよう」などとむやみに悩まなくていいのです。

第4章

スマホのSNSで本物の「ウェルビーイング」を手に入れる

利他的マインドでスマホのSNSを使って、
「心の三大欲求」をポジティブに満たす。

SNSで発信するか、受信するか

第1章で、スマホの良し悪しについての最新研究を解説しながら、SNSがもたらすメンタルへの影響についてお話ししました。有力な研究226本をメタ分析したものです。

これまでの研究では、スマホの良い影響も悪い影響も、双方ともに示されてきました。それらをすべてガッチャンコしてみると、スマホの良さと悪さが相殺して、使用時間とメンタルの相関が見つからなかった。だからこそ、どんなスマホの使用が悪影響を及ぼし、どんな使用が良い影響を及ぼすのかを研究する必要がある。そんな話をしたわけです。

実際、ソーシャルメディアの使い方はさまざまです。おいしそうなもの、便利そうなもの、楽しそうなもの、インスタ映(ば)えするものなど、いろんな人の発信をランダムにあれこれ見て楽しむ。もともと親しい友達とのコミュニケーションに使う。自分の活動や趣味を他の人とシェアする。その他にもいろんな使い方があります。

また、使用目的も人それぞれで、もともと持っているポジティブな人間関係を維持したり、さらに深めていきたいという人もいれば、今の人生がうまくいっていないから違う自分を見つけたい、新しい自分になりたいという人もいる。そうした目的の違いによっても、ＳＮＳがもたらす影響は変わってくるのが知られています。

この章では、スマホのＳＮＳがもたらすメンタルへの影響について、深く掘り下げていきます。

ＳＮＳがメンタルに良い結果をもたらすかどうかは、使い方や目的で大きく左右されます。効果的なＳＮＳの使用法を実践することで、スマホのゴールデンタイムを実現させていきましょう。

さっそく、近年になって確認されてきた、メンタルに良いＳＮＳの使い方をご紹介します。

まず重要な点が、ＳＮＳで発信するか、受信するか。

最近の出来事やニュースに関して自分のメッセージを伝えたり、「面白い！」「おいしい！」と思ったものの画像をシェアしたり、ＳＮＳはたくさんの人に自分から情報を発信する便利なツールです。

一方で、他の人からの発信を受信するツールでもある。最新情報をゲットしたり、知らなかった考え方に「そうかそうか」と感心したり、豪華なリゾートに「いいなあ、行きたいなあ」と妄想したり。SNSは情報を受け取るツールでもあります。

そして、最近の研究で明らかになったのは、**自分から発信をしている人たちの方が、心のウェルビーイングが保たれている**ということです。

そう言われてみれば、他人の羨ましい画像を見続けていたら、そうではない自分に悲しくなってしまうこともあれば、自分とは異なる意見を見ながら何も言わずにいれば、悶々としてしまうこともあるかもしれません。

どうしてSNSでの発信が心理学的にメンタルに良いのかについては、少しあとで詳しく説明していきます。

ポジティブもネガティブも循環する

それから発信は発信でも、ポジティブな発信をするのが、メンタルに良いSNSの使い方のようです。「こんな悩みがあってさ……」とネガティブな話題をするよりは、ポジティブな内容を伝える場にしていく方がいい。

ポジティブなことを発信するためには、何かをポジティブに捉えて、それを自分から伝えることが必要です。そのプロセスによって自分の周りにポジティブなことを見つけられ、自分もポジティブな気持ちになれるのです。

また、その発信を見る人たちもポジティブになれ、それによってポジティブな反応が自分にも返ってきやすくなり、自分のさらなるポジティブにもつながります。まさにポジティブの循環です。

逆に、ネガティブな発信はネガティブな反応を生みやすい。何かに対する批判を思慮なくしてしまえば、それに対して思慮のないネガティブな反応が返ってきて、自分のネガテイブにつながりかねません。

また、自分の悩みや悲しみの発信にも気をつけなくてはいけません。悲しい出来事を発信しようとする時、その出来事やネガティブな感情を心に巡らせることになる。そしてその悲しみのせいで、またさらにくよくよしてしまう。まさに、ネガティブ思考の悪循環が起きてしまうのです。

これまでの研究で、こうしたネガティブ思考のループが、さらに悲しさを増長させてしまうことがわかってきています。そうしたネガティブな心の働きは、うつ病や不安症、過食症などのリスクを高めてしまいます。

また、くよくよと心がネガティブに働きだすと、他人にあれこれ相談したくなるものです。そんな傾向は心理学的にも研究されていて、程度の差こそあれ万国共通の心の働きであることがわかっています。

そして、人に実際に悩みを相談したりシェアしたりする時、一度で済めば健全に済むかもしれないのに、ついつい何度も同じようなことを相談してしまうこともよくあります。すると、聞き手の方もネガティブな相談に嫌気がさしたり、相談されないようにその人を避けたりと、次第に関係性が変わってきてしまいます。実際に、他人に悩みを何度も相談することで、人間関係が悪化してしまう傾向が明らかにされています。

やはり、**SNSでの発信は、ポジティブなものを心がける必要**がありそうですね。

ありのままの自分をありがたく思うこと

さらに、ポジティブであることに加えて、「ありのままの自分」をシェアすることも大切です。

SNSは他の人が見るため、いわゆる「映え」を気にしたり、自分を大きく見せたくなりがちです。

「もっと目立ちたい」

「もっと評価されたい」

「もっとたくさん〝いいね!〟が欲しい」

SNSをやっていると、自然にそう思います。なぜなら、そうした気持ちをより掻き立てるようにSNSがデザインされているからです。だからこそ、自分自身で気をつけないといけません。

「見せかけの自分」を避けて、「ありのままの自分」を表現することが大切なのは、ずばり、そうすることが求めるべき自己肯定感につながるからです。大事な点なので、詳しく説明しましょう。


自己肯定感の定義はいくつもありますが、高めていい自己肯定感と、そうではない自己肯定感があります。

例えば、周りとの比較で自分が優(まさ)っていると感じたり、人からの良い評価を得たりすれば、良い気分に自己肯定された気になります。しかし、そうした肯定感は短期的に気分が上がっても、長期的には続かず、それどころか問題を引き起こします。

のちほど詳しく説明しますが、ここでのポイントは、自己肯定感ならなんでも〝アゲアゲでいけばいい〟ということではないということです。


では、求めるべき肯定感とはなんなのか？

それはまさに、「ありのままの自分をありがたく思う気持ち」です。

ありのままの自分を受け入れることを**「自己受容」**、自分のことをありがたいと自ら価値を見出すことを**「自己価値」**と言います。

この二つとも心理学で研究が進んだコンセプトで、こうした気持ちを持つことにより、自信や自尊心が高まり、心のウェルビーイングが保たれることがわかっています。また、心のウェルビーイングが保たれれば、生きがいや幸福感、体の健康にもつながることが示されています。

つまり、ありのままの自分をシェアすること。さらにそれをポジティブに捉えて表現することは、まさに求めるべき自己肯定感をアップさせるために効果的なエクササイズとなるのです。

どんな些細なことでもいい。また、「ダメな自分もなんだかかわいい」などと、ありのままの自分に自分なりの価値を見つけるのも素晴らしい。

飾らない等身大の自分をポジティブにSNSで表現するのが、メンタルに良い影響を与えるのは、それが求めるべき自己肯定感を引き出してくれるからなのです。

不特定多数より仲間への発信

さらに最近わかってきたのが、知らない人たちに向けて発信していくよりも、すでにつながっている人たちに向けて発信していった方が、メンタルに良いSNSの使い方になるということです。

SNSで友達や同僚とLINEでメッセージのやり取りをしたり、インスタやX（旧ツイッター）で画像や考えをシェアしたり。

つながっている人たちは、すでに仲間。「こんな美味いもの食った！」なんてプチ自慢しても、冷ややかな目で見られることも少ないし、多少何か間違ったことを言っても猛烈な批判を受けずに済むかもしれません。

また、思わぬ詐欺に引っかかってしまうなど、危険な目に晒されるリスクも小さい。それに、知らない人の「思いやりのない意見」や「羨ましい大豪邸」を見て悶々としなくても済むかもしれません。

SNSのもともとの魅力の一つは、世界中の見も知らぬ人たちとつながれることだったわけですが、不特定多数の人々とパブリックで情報を共有することは、犯罪などのリスクばかりでなく、**心の面にもリスクが生じる可能性**がある。誰にでもおススメのＳＮＳの使用法ではないのです。

内発的なハマりと、外発的なハマりの大きな違い

さて、ＳＮＳをやりたいと思ってハマった場合に、良いハマり方と悪いハマり方があるのをご存じでしょうか。

まず、ＳＮＳの基本的な機能に戻って考えてください。ＳＮＳの基本的な機能は、自分をなんらかの形で表現して、人とつながることです。

友達とメッセージをやり取りしたり、「映える」食べ物や景色の画像をシェアしたり。自己表現したものを他の人と共有するのが最もベーシックな機能です。

そして、メッセージをシェアして人とつながること自体、もしくは、自分を文章や画像などで表現すること自体に満足を感じて、「もっとＳＮＳがやりたい」と感じている状態。

これは「内発的なハマり」状態と呼ぶことができます。

一方で、ソーシャルメディアの中で、「あの人よりも人気になりたい」「もっと目立って評価されたい」「たくさん〝いいね！〟が欲しい」という目的でハマってしまう人もいます。自己表現や周りとつながること自体でなく、そうすることによって生じる結果である、比較（あの人より人気）や承認（評価されたい、いいね！）に満足を感じている状態です。

これを、「外発的」な結果に動機づけられているという意味で、「外発的なハマり」状態と呼ぶことができます。

これら二つのハマり状態は、第3章で触れた「内発的欲求」と「外発的欲求」に対応するものです。

こうした「欲求」や「ハマり」の区別は、心理学理論の近年のメインストリームの一つである「自己決定理論」の重要な考え方の一つです。

その区別を理解した上で、「外発的欲求」や「外発的なハマり」には厳重注意をしていかなくてはいけません。例を挙げて説明していきましょう。

ルービックキューブが楽しくて楽しくて仕方ない近所のカケルくん。今日もずーっとやっている。周りから褒められたいわけでもなく、お金がもらえるわけでもない。ルービックキューブをやること自体が楽しく、それ自体で満足している。内発的にハマっている。

そのカケルくんに、「1面揃えたら、1ドルあげるよ」と誰かが伝えたとしましょう。もともとルービックキューブに内発的にハマっているカケルくんに、お金という外発的な報酬を与えるのです。

すると、彼はどうなるか？　なんと、これまで何も求めずにルービックキューブを楽しんでいたにもかかわらず、今度はお金の外発的な報酬なしには、ルービックキューブをやらなくなってしまうのです。

つまり、ひとたび外発的な報酬にやる気を感じてしまうと、それまでの内発的なやる気がそがれてしまうのです。

脳内では、この外発的なやる気による、内発的なやる気の書き換えが非常に危険。なぜなら、**外発的な動機づけに長い間晒されていると、心や体に悪影響が及んでしまう**からです。

例えば、お金による経済的な動機づけを強く求め続ける人は、総合的な自己肯定感が低くなりがちで、うつや不安を抱えやすい。ステータスや見た目の良さなどを求める場合も同様です。精神面以外にも頭痛や肩こりなど身体的にも悪影響が出たり、友人、恋愛、家族など、人間関係にも問題が生じてくることが報告されています。

ことに高校生や大学生では、外発的報酬を求め続けることで、タバコや酒、ドラッグなどに依存してしまうリスクが高まるので要注意です。

やっかいな現代の「やる気」事情

外発的動機づけがやっかいなのは、短期的には内発的な動機づけをしのぐくらい効果的だということにあります。

お小遣いや褒め言葉、その逆の罰や叱りつけなどは、どれも外発的な動機づけになりますが、その場で子どもに言い聞かせるためにはとても便利で、必要な時も多々あります。

給料や地位、肩書というのも、もちろん外発的な動機づけ。仕事を頑張ることで得られる昇進を求めれば、誰しもやる気が一気に上がるかもしれません。それで成功すれば、それはそれで素晴らしい。

つまり、その場でのやる気を引き出そうと思ったら、外発的動機づけが実に有効なのです。だからこそ、誰もが知らず知らずのうちに外発的動機づけを求めてしまう。昇進や昇給を目指して、すごくやる気に満ち満ちている活発的な人たちも世の中には数多く見られます。

そう考えれば、外発的動機づけは何も悪くはないように思えますが、問題なのは短期的な促進効果ではなく、長期的な悪影響です。先述の通り、「好きでやる（内発的動機づけ）」ことも、いつしか「成果のためにやる（外発的動機づけ）」ことになり、**何もかも〝結果次第〟になってしまう**。それほどストレスフルな人生はありません。

そして最も意識しておくべきなのが、この世の中は、外発的動機づけだらけだということです。

何かしらの数値や実績を求められたり、そこから発生するステータスや給料、ありふれた仕事や学校の場面にはいつでも外発的になる危険が潜んでいるのです。

現代社会で生きている限り、そうした外発的な報酬や罰則を完全に避けることはできません。それだけに短期的な効果に惑わされずに、しっかりとした内発的動機づけを維持できるようにしなくてはいけません。

心の三大欲求を満たしてくれるＳＮＳ

では、どうすれば、ＳＮＳで内発的動機づけを守っていくことができるのか。これを説明するために「心の三大欲求」を押さえておきましょう。

「心の三大欲求」とは、以下の三つです。

- **関係性：人とつながったり、つながれると思う気持ち**
- **有能感：何かを「できる」とか「できた」という満足感**
- **自律性：誰かや何かに強制されるのではなく、自分の意思でやっているという感覚**

この「心の三大欲求」は「自己決定理論」と呼ばれる心理学理論の核となるコンセプト

です。

「自己決定理論」によれば、「心の三大欲求」が満たされると、私たちの心が健全に保たれ、そうやって心を満たしてくれるような事柄に対して、私たちのやる気やモチベーションが向かっていきます。

つまり、「つながり」「できる感覚」「自分の意思でやっている感覚」、それらを感じることができれば、人間の心は真の意味で幸福感を覚え、ウェルビーイングな状態でいられる。また、そうしてくれるものに私たちの心はとりこにされてしまうのです。

だからSNSを使う時には、**自分の使用法や目的が、心の三大欲求を満たす方向に即しているかどうか**を考えていく必要があります。

SNSの最もベーシックな機能は「人とのつながり」、そして「表現すること」。つながりは心の三大欲求ど真ん中であり、表現することも有能感につながります。また、自分の発信から、何かをやり遂げたりすることだってあるかもしれません。そうなれば、有能感抜群です。

そして、鍵になるのは、自分の意思に従って表現をしているかどうか。自発的な気持ちが自分のSNSを支えているかどうか、です。

先ほど、受信だけでなく発信をすることがSNSの良い使い方になることを説明しましたが、それもこの第三の心の欲求である自律性を感じるためです。

受信だけでは他のユーザーのポストを受け身に取り込むだけなのに対して、自分から発信することはまさに自分の意思に基づいた行為です。それをやることで、心の三大欲求を満たすことができるのです。

SNSの科学的ハピネス習慣

こうした心の三大欲求をとても効果的に満たしてくれるSNSの使用法があります。科学的に幸福感や自己肯定感を高めるSNSの習慣です。

それは、**「利他的マインドのある発信」をすること。**他の人の取り組みを褒めてあげたり、宣伝してあげたり。誰かに役立つ情報を投稿したり、そうした投稿に感謝の気持ちを示してあげたり。また、人や社会のためになるような取り組みを自分から働きかけたり。

とはいえ、人助けや感謝はもちろんポジティブなことですが、それをすることによって幸福感がより上がるというのは、なんとなく解せない気もします。「だって、むしろ、幸せになるのは親切にされた人の方なはず……」。そう感じるのも自然なことです。

ですが、人への親切が他人だけでなく自分の幸福感につながるのは、「心の三大欲求」を満たすのにそれが素晴らしく適しているからです。

まず、相手のために何かするのだから、もちろん相手との「関係性」の中で「つながり」を感じることができます。

さらに、相手のために何かが「できる」のだから、有能感も味わえる。相手を助けることが「できる」という感覚も同様に。

そして、誰に請われてやるわけではなく、自分の優しい心から、自分の意思に基づいて、進んで親切な行為をすることから、「自律性」も感じられる。

すなわち、利他的なＳＮＳの発信で幸福感や自己肯定感が一気に上昇するのは、人に親切な言動や行動を行うことで、人間本来の根本的な欲求を満たすことができるからなのです。

「感謝の科学」でできるスマホメンタル術

人助けと同様に、人に感謝することが自分の幸福や自己肯定感につながるのも意外な気がするかもしれません。

しかし、感謝の気持ちと私たちのメンタルや体の関係は、とてもディープに関係しており、近年の「ポジティブ心理学」でも、最もホットなトピックの一つとして感謝の気持ちが研究され、「感謝の科学」（Science of Gratitude）と呼ばれる人気分野になっています。

例えば感謝の気持ちを持つことで、体の炎症が減ったり、睡眠時間が増えたり、疲労も少なくなったりなど、さまざまな体の健康への良い影響が確認されてきました。

心の面でも、うつ病や不安症のリスクを下げ、幸福感やポジティブな気持ちを向上させる効果があることが示されています。

そしてもちろん、**感謝の気持ちを持つことが自己肯定感のアップにつながる**こともわかってきました。

他の人に感謝するということは、その相手が自分に何かしてくれたということ。言いかえれば、その相手は自分に対して何かしてあげようと思ってくれた。それだけの価値を、他人が自分に見出してくれた。

要するに、相手に感謝するということは、相手が見出してくれたであろう自分の価値を認識することでもあるわけです。それゆえ、感謝の気持ちを持つことは、自分の価値を知ることにもつながります。

そしてスマホは、それらを知ることができる、最良の手のひらのツールなのです。

第5章

持続可能なスマホの「モチベーション」

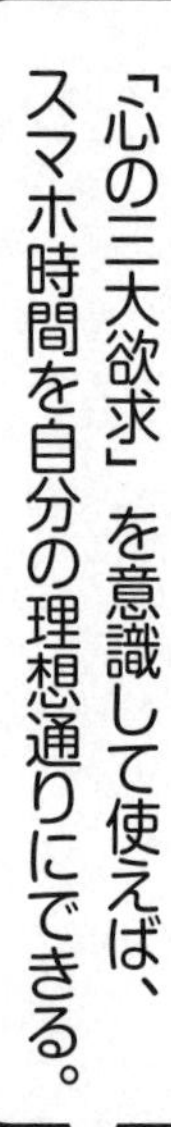
「心の三大欲求」を意識して使えば、
スマホ時間を自分の理想通りにできる。

おじいちゃんもおばあちゃんもスマホ

私の父も母も80歳を超えました。先日、50年以上営んできた花屋をしぶしぶ閉めて、人生の次のチャプターに進み始めています。

そんな私の両親も、孫たちとスマホで遊んだり、万歩計で1日の歩数を確認して楽しんだり、アメリカに住む私と連絡を取ったり話したり。最初はスワイプもできなかったわけですが、今ではなかなか器用に使っています。

そうです、今やスマホ時代、言うまでもなく誰もがスマホを持っています。

アメリカでは18歳以上の9割がスマホを所持しており、18〜29歳では、3人に1人がインターネットをスマホだけで使っています。

ソーシャルメディアのスマホ使用は、18〜29歳は84%、30〜49歳は80%、50〜64歳は73%、そして65歳以上でも45%です。さすがアメリカという感じもします。

フェイスブックは、全体の69%の人が使っていて、インスタグラムは40%。若い人が中心です。ＹｏｕＴｕｂｅは81％の人が使っています。

スマホ使用の広がりは、子どもたちについても同様です。

実に、60％の子どもが5歳前にスマホを使用しており、半分以上の子どもが9～10歳の時点でスマホを所持しています。

0～2歳で約57％の子どもがＹｏｕＴｕｂｅを見ていて、3～4歳では約81％、5～11歳ではなんと約90％。

まさに、**老若男女がスマホを使う時代に私たちは生きている**のです。

「スマホ依存」には医学的定義がない

こうした急速なスマホの普及とともに、スマホへの心配も深まってきています。

例えば、次のページの表は、アメリカで行われたある調査の結果を抜粋したものです。

スマホを「断罪」するネガティブキャンペーンの影響があろうとなかろうと、多くの人

他のことをすべき時にスマホに夢中になってしまい、問題が生じることがある。	54%
スマホをやっているせいで眠れなくなる。	34%
スマホの電源を切るのが難しいと感じる。	31%
しばらくスマホをしないと不安になる。	33%
スマホに費やす時間のせいでパフォーマンスが下がっている。	31%
スマホに夢中になって、やり過ぎてしまう。	65%
大事なことをするより、スマホに夢中になってしまうことが多い。	58%
スマホがないと自分を見失った気になる。	40%

（出所：Horwood S & Anglim J（2018）“Personality and problematic smartphone use: A facet-level analysis using the Five Factor Model and HEXACO frameworks.” Computers in Human Behavior, 85:349-359.／筆者翻訳〈意訳〉）

がこんなふうに心配しているのが現実です。そんな中で、「スマホ依存」などという言葉を聞くと、「あ、自分も依存なのかな……」と心配になってしまうのも致し方ないでしょう。

実際、本書で取り上げてきたようなスマホのSNSやゲームにハマって、「このままだと〝ゲーム依存〟になってしまうんじゃないか？」「自分はすでに〝スマホ依存〟なのではないか？」

そんなふうに心配している人もかなり多いのではないでしょうか。それを測るモノサシが存在しないので、当然と言えば当然のこと。いったいどこからが依存症でどこまでが正常なのか、誰もわからないからです。

ここで注意しておきたいのは「依存」という言葉です。かなりドキッとする言葉ですよね。

しかし「スマホ依存」は、医学的には「依存症」として扱われていません。これは「ゲーム依存」や「SNS依存」に関しても同様です。

一方で、もちろん「薬物依存」や「ギャンブル依存」には医学的定義があり、医療的な対処法も生まれています。そしてそれらの「依存症」と称される症状に対して、**ゲームやSNS、スマホなどへのハマり過ぎの状態はそうした定義に分類されない**のです。

そのため、そうした「ハマり過ぎ」を「依存」と呼んでもいいものなのか、実際に現在も科学的な議論が続いています。

しかしもちろんのこと、「ゲーム依存」や「スマホ依存」と呼ばれるようなハマり過ぎは、ゆゆしき問題です。

では、そのような状態をどう解釈すればいいのか。どこまでが大丈夫で、どこから先が「依存症」なのでしょうか。

アメリカでは「PSU」という呼び名も

現在のところ、「スマホ依存」や「ゲーム依存」をめぐる議論では、「やり過ぎてしまって普段の生活で他にやるべきことに支障が出てしまう状態」を、問題視すべき「ハマり過ぎ」の状態とみなしています。したがって、スマホやゲームにかなりハマり込んでいる場合でも、日常生活やパフォーマンスに影響が出ない程度であれば、心配することはないのです。

例えば、1日トータルで4時間くらいゲームをやっていたとしても、勉強もそれなりにやって十分な成績を収め、しかもスポーツもしていて人ともしっかり話していれば、まったく問題はないでしょう。

しかし、夜の3時間のスマホのせいで眠れなくなってしまい、朝が起きられなくて学校に行けないとなってくると、これは問題です。スマホの使用を減らす必要があるでしょう。
こうした観点から、アメリカでは「Smartphone Addiction（スマホ依存）」ではなく、「問題があるスマホの使用」という意味の「Problematic Smartphone Use（プロブレマティック・スマートフォン・ユース）」、頭文字をとって、「ＰＳＵ」と呼びましょう、とされてきています。

最近の研究では、どういう人がＰＳＵになりやすいのかも明らかになっています。以下がＰＳＵになりやすい人たちのメンタルの主な特徴です。

- 神経質、神経症
- 不安、うつ
- 感情的
- ネガティブ思考、自己懐疑的

逆にPSUになりにくい人の特徴は、

・正義感が強い
・正直で謙虚
・何でもオープンに話せる
・他人のフィードバックを受け止められる

持続可能なスマホ使用の「モチベーション」を維持するために、**自分がPSUになりやすいかどうか**をしっかりと見極めておきましょう。

その上で、もし自分のスマホ生活に課題があると感じるならば、自らで変えていくことが大切です。

「ゲーム依存」「スマホ依存」の9条件

しかし、「生活に支障があるかないか」とか、「スマホ生活に課題がある」など、あまりにも定義がゆるい。もう少し具体的に、何が問題の兆しになるか、どう危険なのかを教えてほしい。そう思う人もいるのではないでしょうか。

そこで、これまでの医学的な「依存症」の定義をベースに、「スマホ依存」や「ゲーム依存」「SNS依存」をそれに当てはめたチェックリストも提案されています。

以下の9条件です。

1. スマホ、ゲーム、SNSのことをいつも考えてしまう。スマホ、ゲーム、SNSが日常生活で主要な活動になる。
2. スマホ、ゲーム、SNSがないと、イライラ、不安、または悲しみを感じる。
3. スマホ、ゲーム、SNSに費やす時間が増えていく傾向にある。
4. スマホ、ゲーム、SNSの使用を減らそうとしても減らせない。
5. スマホ、ゲーム、SNSの使用の結果として、以前に持っていた趣味や娯楽への興味を失う。
6. 自分のメンタルやパフォーマンスに影響が出てきているのを認識しながらも、スマホ、ゲーム、SNSの過剰な使用をやめられない。
7．家族や他の人々に対して、スマホ、ゲーム、SNSの使用量について嘘をついてしまう。
8．ネガティブな気分（無力感、罪悪感、不安など）から逃れるためにスマホ、ゲーム、SNSを利用する。
9．スマホ、ゲーム、SNSをやるために、重要な仕事や勉強の大事なことを犠牲にしてしまう。

（「精神疾患の診断・統計マニュアル（Diagnostic and Statistical of Mental Disorders：DSM－5）」より筆者翻訳）

以上の中から**多くの項目が当てはまる場合、「ハマり過ぎ」が日常に支障をきたしていると判断できる**でしょう。その場合は、ゲームやスマホとの向き合い方を変えた方がいいと思われます。もちろん、症状がひどい場合には、医師やカウンセラーのサポートを求めるのも必要かもしれません。

幼児期のスマホは厳重注意

スマホの使用について、最も注意したいのは、幼児の場合です。

アップルでｉＰｈｏｎｅやｉＰａｄを生み出したスティーブ・ジョブズが、自分の子どもにはｉＰａｄを渡さなかったという話はよく知られています。このように、世界中の親たちが子どものスマホやタブレットの使い過ぎをかなり気にしているのは周知の事柄です。

例えば、アメリカのある調査では、以下のような親たちからの反応が返ってきたということです。

・子どものスマホの使用時間を制限　86％
・スマホ取り上げを罰にすることあり　80％
・スマホで利用しているウェブやアプリのチェック　75％
・ペアレンタルコントロール（保護者による利用方法の管理）　72％
・テキストのチェック　49％

実際に、小さい子どものスマホ使用に関しては、さまざまな研究で悪影響が確認されています。そのため、幼児期はスマホやタブレットの使用を制限するのが推奨されているのです。

さまざまなガイドラインを総合すると、**0歳から5歳くらいの幼児は、毎日2時間以上の使用は禁物**です。テレビ画面も含め、スマホやタブレットなどのスクリーンを見る時間（スクリーンタイム）がそれより長い場合は、特に気をつけた方がいいでしょう。

認知能力を下げるスクリーンタイム

このように小さな子どものスクリーンタイムがさまざまな悪影響を及ぼすことは、だいぶ前より知られてきました。

例えば以前、子どもの早期教育に良いということで、有名なキャラクターとコラボした子どものビデオ知育教材が売り出されていたことがありました。

ところが、その教材を実際にやることによって、子どもの認知能力が上がるどころか、

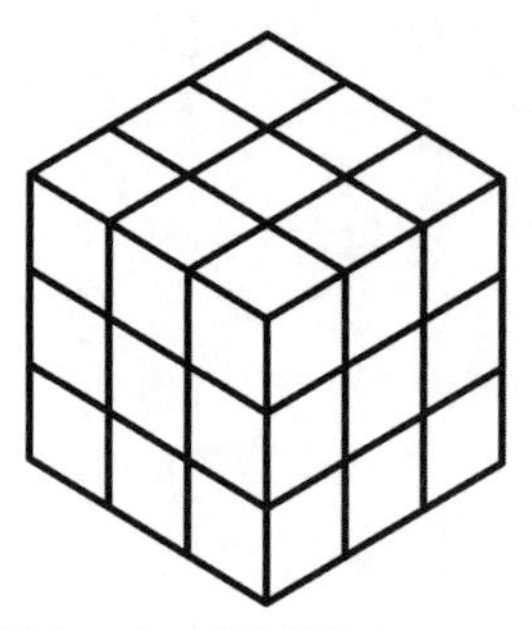

【図5−1】空間認識能力によって、紙などに描かれた二次元の図形から立体物をイメージできる。

大幅に下がってしまったのです。

例えば、幼い子どもは手を使っておもちゃで遊ぶなど、実際に物に触れることによって、空間の認識能力を養っていきます。それをベースにして、上の図（図5−1）のような二次元の線を立体として認識できるようになります。

ところが、そうした空間認識能力がまだ十分ではない時に、平面のテレビばかりを長時間見ていると、身につけるべき空間認識能力を養うことができません。

図のような形はそもそも二次元の図なので、平面としか把握できず、それを見ているだけでは、いくら経っても立体として認識することができない。つまり、平面のテレビ画面でさまざまな「立体」のやり取りがあっても、なんのこっちゃわからず、学習に役立たないのです。

言葉についても、テレビから流れている音声を子どもに聞かせるだけでは、親が子どもの顔を見て話す時ほどの効果が得られないのがわかってきました。大人が子どもに目線を向けながら話すことで、子どもの脳が自然とその声に集中でき、効果的に学習できる。社会的な動物である人間の脳は、進化の過程でそのようにデザインされてきたのです。

やはり、0歳から5歳までは悪影響が出やすいので、気をつけた方がいいでしょう。できるだけスクリーンタイムを減らして、やむをえない場合でも**1日2時間を超えない程度に止めておく必要**があります。

「スマホ禁止」は禁止!

子どもとスマホの注意点について、話を続けましょう。

前項のような悪影響を指摘すると、スマホは「全面禁止にしよう」と考える親御さんもいるかもしれません。

そもそも本書のメッセージは、「スマホはどんどん使いなさい！」です。前項のようなごく幼い子どもは例外として、スマホをすることの良し悪しは使い方次第であることをここまで繰り返し述べてきました。良い使い方をすれば、良い影響があるのだから、完全にスマホをやめなければいけないわけでは決してありません。

テクノロジーのしつけというものは、「何かを禁止する」ことで終わってしまってはいけません。スマホをやらないのであれば、その代わりに何をやるべきなのかを、しっかり考えて示してあげることが大切なのです。

「スマホやり過ぎだからもうやめなさい」
「なんで一日中ゲームやってるの？」
「SNS依存ね、あんたは！」

などと、子どもがハマっていることに対して「やってはいけない」とだけ指摘しても埒(らち)があきません。また、スマホ禁止に動揺している子どもの気持ちを逆なでして、余計にスマホに走らせてしまったりなどと逆効果です。

では、スマホの代わりに何をやればいいか。

スマホを長時間やるせいで、本来やるべきことがおろそかになっている。そうであるなら、そのやるべきこととは何か。

家族との団欒（だんらん）や、戸外での運動。自室で勉強したり、家の周りをぐるっと散歩しながら、ボーッと空想をしてみたり。

特に子どもの脳は、多様な体験をバランス良くすることで、認知能力が効率的にアップしていきます。認知能力を鍛えたくてそればかりをトレーニングしていても、決して効果は上がらないのです。

問題はバランスです。目指すべき良きバランスがあり、スマホがそれを崩している。そうであれば、そのバランスがなぜ大事で、何が足りていないかを親子で話し合っていく必要があるのです。

子どもが過ごしたいライフスタイルや目標に対して、やるべきことは何なのか。もしも**スマホをやらないのなら、代わりに何をするべきなのか。**それを考えることがとても大事なのです。

テクノロジーと距離を取る三つの方法

大切なことなので何度も繰り返しますが、スマホなどのテクノロジーは、現代社会において大事な生活の一部です。何をするにも、スマホが必要。ですからテクノロジーのスキルを身につけることは、十分に必要なことです。

それゆえに、子どもをテクノロジーから完全に隔離しようとすることは、多くの場合、現実的ではないだけでなく、教育的でもないと私は考えています。

隔離ではなく、ほどほどの距離を取りながら、適度にテクノロジーを使いこなせる能力を養っていく。**テクノロジーとのほど良い距離感を早くから育てていく。**それが大切なのです。

では、上手な距離感を身につけるには、どうすればいいのでしょう。

次のような、三つの効果的な方法があります。

・使わない時には遠くに隔離する
・テクノロジーブレイクを使う
・親がロールモデルになる

まず、「使わない時には遠くに隔離する」。

実際、子どもたちが勉強をしている時、スマホが手元にあって、使える状況だと平均6分に1回はスマホを見てしまうという研究すらあります。

勉強中にネットを見たり、SNSでメッセージをやり取りしたりしていては、学習効果や成績が下がってしまいます。脳は、「ながら作業」がとても苦手なのです。

さらに、スマホを使わずに勉強している時でも、近くにスマホがあるだけで、集中力やパフォーマンスが10〜20%も下がってしまう。

勉強や仕事の時は、スマホを使わないだけではなく、使いたくなってしまう誘惑を断ち切る必要があります。だから、「遠くに隔離する」ことが有効なのです。

例えば、子どもの食事中は、スマホを禁止にして違う部屋に置いておく。就寝時間もスマホを預かっておくのがお勧めです。

また、適度に休憩時間を取り、その休憩の間にスマホを使ってもいいとする「テクノロジーブレイクを使う」のも効果的です。集中力のオンとオフの切り替えがうまくできるようになることも実証されています。

やるべきことに集中できるよう、集中すべき時はテクノロジーを手元から隔離して、その他の決められたタイミングで、テクノロジーを自由に使う休憩を設ける。これは、子どもだけでなく大人にとっても、生活全体に応用すべき方法です。

そしてもちろん、「親がロールモデルになる」ことも大事です。食事中にスマホを見ないようにする。自分もテクノロジーブレイクを意識する。必要であれば、違う場所でやる。そんな意識が、子どもがテクノロジーとうまく付き合っていくための大きな助けになるのです。

脳科学から見たスマホ習慣の変え方

しかし、すでにスマホにハマり過ぎている状況に、こうしたやり方を取り入れるだけでは、足りないかもしれません。習慣を変えていく必要があります。

子どもだけでなく、大人にとっても、スマホのやり過ぎは悩ましい問題です。

仕事や連絡などで使う場合はいいとしても、決してスマホが必要ではない時に、ついついダラダラとウェブサイトを見たり、ゲームで遊んだりしてしまう。それこそ仕事や勉強に支障が出るなんてこともあるかもしれません。

1日のスマホの使用時間は、仕事やプライベートも含めて、およそ4時間半が平均と言われています。それを大幅に超えていて、スマホゲームのやり過ぎで寝不足になっている、SNSをやり過ぎて宿題や仕事の準備ができないことがしばしば、などという場合は、どうやってスマホ習慣を変えていくのが効果的なのでしょう。

習慣を変えたい。そんな時に大きな分かれ道となるのが、ガラッと一気に変えていくのか、少しずつ変えていくのかという問題です。

「えいやっ」と決意して、これまでの習慣を一気にガラッと変える。そうしないと、なかなか踏ん切りがつかずに、新しい習慣のリズムを作れないのではないか？

いやいや、今していないことを急にするのは難しい。難しいから今までやれなかったわけだから、やはり少しずつ慣らしていかないと変えられないのでは？

「ガラッと派」と「ちょっとずつ派」。はたしてどちらがより効果的なのでしょうか？

その答えは、**脳の仕組みから考えるのであれば、断然「ちょっとずつ派」**です。

これを理解するために、まず、「習慣とは何か」に立ち戻って考えてみましょう。

習慣とは、ある一定の状況に置かれると自然としてしまう行動のこと。強い意志で行動しようとしなくても、何気なくやってしまう行為のことです。

例えば、朝起きたら、迷うことなく洗面所に行き、歯を磨き始める。何かを習慣化するということは、そうした自然な行動パターンを脳に焼きつけるということです。

では、どのようにして、それらのパターンは脳に焼きつけられるのか？

私たちが何かを体験したり、学んだりするたびに、脳のニューロンには電気パルスが流れ、それと同時に脳内に変化が起こります。繰り返し何度も同じような体験をすると、同じようなニューロンの回路が何度も何度も活性化されて、強固で通りの良いニューロン回路ができあがります。

そうした強いニューロン回路ができることで、また同じような体験が起きた時に、あれこれと考えることなく、これまでと同じような行動を取れるようになるのです。

つまり、何かを習慣化するには、何度も何度も似たような体験をする必要がある。朝起きて、何も考えずに洗面所に行き、歯を磨くことを習慣化するには、繰り返しのトレーニングが必要なのです。

脳は少しずつしか変わっていきません。ですから、何かを習慣にするには「ちょっとずつ派」の精神で根気強く臨んでいかなくてはいけません。

「自分のスマホ時間をうまく減らしたい！　1日7時間を4時間にしたい！」

たとえ強い意志でそう望んだとしても、なかなか今日明日で劇的に変われるものではない。いわば脳のメカニズムに適(かな)っていないのです。

それゆえもしも、スマホ、ゲーム、SNSなどの時間を減らしたいのであれば、少しずつ減らしていくように計画して、長期戦で挑むのが一番。まさに「急がば回れ」の精神が必要なのです。

それでは、その長期戦にどのように挑めばいいのでしょうか? その答えを理解するために、私たちがスマホにハマる理由を知っておく必要があります。

スマホが満たす「心の三大欲求」

そもそも私たちはなぜ、ゲームにハマってしまったり、SNSにとことん夢中になってしまったりするのでしょうか。

理由はずばり、ゲームやSNSなどは、私たちの「心の三大欲求」を満たしてくれるから。

前述のように、心の三大欲求とは、人とのつながり(関係性)、自分が何かできるという感覚(有能感)、それから、自分の意思に従って決断している感覚(自律性)のことです。

そしてスマホには、ゲームやＳＮＳ、ＹｏｕＴｕｂｅ動画など、この「心の三大欲求」を満たしうる要素が満載なのです。

ゲームを例にとって説明しましょう。

まず、ゲームは対面やオンラインで一緒にプレーする人たちとのつながりを与えてくれます。仮に一緒にプレーする人がいなくても、友達との会話に出てきたり、バーチャル空間のキャラクターとの世界に没頭できる。つまりゲームは、脳がつながりを感じる機会をたくさん与えてくれるのです。

さらに、ゲームで難関をクリアしたり、できなかったことができるようになったりと、有能感を得られる機会も多い。

しかも、誰にやれと言われるわけでもなく、自分でやろうと思ってやっているので自律性も感じられる。

ですからゲームは、人間の心の三大欲求を満たしてくれるのです。要するに、人間の心を真の意味で充足させ、とりこにしてしまうのがゲームの正体なのです。

同様のことがＳＮＳや、ＹｏｕＴｕｂｅ動画についても言えます。そして、そうした要素をふんだんに満載しているのがスマホ。要するにスマホは、人間の心の三大欲求を完全に満たしきってしまうツールなのです。

ある意味でこれは、スマホをたくさん使っている私たちにとっては朗報です。スマホをやったからといって、それ自体が私たち人間にとって悪いということは決してないからです。むしろ、**心の基本的なメカニズムが働いて、健全な形で充足される状態を引き出してくれる**とさえ言えるのです。

一方で、非常にやっかいなことでもあります。心が根本的に満たされてしまうので、やはり、自然とハマってしまう。ハマってしまうと抜け出しにくい。

さあ、どうやって、スマホ時間を減らしていったらいいのでしょう？

スマホ時間の理想的な減らし方

スマホやゲーム、ＳＮＳの時間を少しずつ減らしていくために効果的なやり方が、最新の科学研究で明らかになりつつあります。

基本となる考え方は、まずはスマホを使う時間をゆっくりと減らしていき、その減らした分を、「心の三大欲求」を満たしてくれる他の行為や代替物で補っていくという方法です。

前述のように、スマホは「心の三大欲求」を満足させてくれる。だから、そのスマホの時間を一気に減らしてしまえば、心にすっぽりと穴があいてしまいかねません。いわば心のバランスが損なわれ、日常生活のウェルビーイングが崩れてしまいかねません。

だから、スマホ時間を抜いた分、「心の三大欲求」を満たしてくれる他のことを生活のリズムに組み入れることが重要です。

効果的なスマホ時間の減らし方のポイントを、順番に見ていきましょう。

まずは、2週間で30分ずつ減らしていく。最初の2週間様子を見て、新しい生活のリズムに慣れてきたら、さらにまた30分減らしていく。

30分というのはあくまで目安なので、15分や20分などと、習慣の変化が大き過ぎない程度に減らしていくのがコツです。先述の通り、脳は少しずつしか変化できません。

次なるポイントは、心の三大欲求を満たす「代わりの行動」を、減らした時間の分だけやること。「つながり」「できる感」「自分の意思でやっている感」を感じられるようなものを選びましょう。

家族や友達と外を歩いてみたり、部屋の掃除をしてみたり。勉強や宿題、誰かを助けてあげるなど、達成感があり、自分ばかりでなく他人のためになることを選びましょう。

そして、スマホ時間の前に、この「代わりの行動」を減らした分の時間だけやってから、スマホの時間を取る。外を散策するのが「代わりの行動」なら、まずは30分屋外を散歩する。それから前もって決めた時間だけ、スマホやゲーム、ＳＮＳをやる、という順序が効果的だと言われています。

最後にもう一つ。新しい行動を習慣にするためのコツとして、「行動のきっかけ（トリガー）を決めておく」という方法があります。頻繁かつ明確なトリガーが、習慣化にはとても効果的です。

「この時間になったら、必ずこれをする」

「ここに来たら、必ずこれをやる」

「こう感じたら、こう行動する」

このように、「どんな時に、どんな場所で、何をするか」を固定化させましょう。トリガーを繰り返すことで脳が反応しやすくなり、新しい習慣が身につきやすくなります。

こうしたスマホの習慣変革を通して、自分が望む通りのスマホ環境を手に入れてゆきましょう。

何よりもポジティブに。そしてアクティブに。

あくまでも**能動的なスマホ使用**で、持続的なモチベーションを保っていきましょう。

おわりに

本書のきっかけとなったのはまさにスマホ。２０２２年の秋に、スマホで拝受したMessenger（メッセンジャー）のテキストがきっかけです。

「親が教育改革実践家をやっていて、スタンフォード大学オンラインハイスクールに訪問させたい。今シリコンバレーベイエリアを訪問している」

「親」とは、教育改革実践家の藤原和博さん。とはいえ藤原大先輩とは面識もなく、このメッセージを送ってくれたベイエリアの知り合いが、奇遇にも、藤原さんのご子息だったのです。

藤原和博さんに訪問いただけるのであればすぐにでも、と次の日のアポを取らせていただきました。

気さくな方で、初対面にもかかわらず2時間半ほど日米の教育談義に花を咲かせました。本当に楽しく、学びの多い時間でした。

その年末に藤原さんのＹｏｕＴｕｂｅ番組「目覚まし朝礼」のゲストにお招きをいただきました。

藤原さんはご自身も学校の校長として教育現場を経験され、今もさまざまに日本の教育について発信されていますが、ディスカッションのテーマの一つになったのが、まさに「スマホ」や「ゲーム」でした。

これほどまでにスマホが社会に浸透してきているのに、親や教育界が真正面からスマホに向き合えていないのではないか。もっとポジティブにスマホやゲームを捉えて、教育の世界でも積極的に使っていくべきではないか。

日本の公教育では一つのクラスに人数が多過ぎる。できる子とできない子の差が激しく、クラスでの授業の焦点が定まらない。その上、教員不足が深刻だ。

打開策は無理に教員を掻き集めることではない。スマホをどんどん使わせろ。それぞれの子どもに合った学びを提供して、教員はそのサポートやコーチングに。そうすることでそもそも必要な教員の数を抑えて、子どもそれぞれに合った学習をサポートすべし！

そうした藤原和博さんのお考えに、大きな学びを見つけるとともに、非常に共感したのを覚えています。

世界の教育現場やトレンドに日々触れるにつけて、藤原さんのおっしゃっているポイントが日本だけの問題ではないことを強く実感してきたからです。


オンライン教育やＡＩを使ったアプリなど、教育テクノロジーのマーケットはコロナ禍以前から数十兆円規模になっていました。コロナ禍で増した勢いは収まるどころかさらに加速しており、４、５年もすると１００兆円を超えて、世界の教育マーケット全体に占める割合が10％を超えるだろうと試算されています。

まさに、オンライン教育や教育テクノロジーは、世界の教育の必要不可欠な要素になりつつあるのです。

そうした教育テクノロジーの盛り上がりは一過性のトレンドではありません。

例えば、世界の人口増加。2050年までには世界の人口が100億人を超えると予測されています。まだまだ世界の人口は増え続ける。

さらに、依然として各国間での格差がある一方で、教育の普及も爆発的に進んできています。世界中で教育を受けている子どもたちの割合が、過去50年で5割から、9割までに伸びています。

それと同時に、最終学歴もどんどん上がってきている。例えば、2020年あたりには世界の大学生は約2・5億人。それが2040年には6億人になると推計されています。

そうした教育需要の爆発に対応するには、「毎日、大型の大学を二つずつ作らないといけない」などと言われたりもしています。


もちろんそんなことは、物理的に不可能なわけです。ましてや、仮にそれが可能だったとしても、毎日二つずつ作られる大学の中で教える教員を見つけることは至難の業(わざ)です。

これはまさに、世界の教育需要を支えるためには、これまでの伝統的なやり方は通じないということを示しています。

教育とテクノロジーを上手な形で融合させていくことでしか、地球が直面している人口増加と教育需要の危機を救うことはできないのです。

そうした状況で、タブレットやスマホをこれまで以上に教室の中にうまく組み込んでいかなければいけないのは明らかです。

また、ＣｈａｔＧＰＴなどのツールを上手に組み入れていくことも必要でしょう。日本やアメリカで生成ＡＩを使った学習補助ツールが盛んに研究開発されています。私自身もＣｈａｔＧＰＴを駆使したＡＩ家庭教師の会社をサポートしています。

そしてここに、日本の教育界に大きなチャンスがあると思っています。

日本のコンテンツ力、そして、まさに教育の分野でも教材や教育指導要領など、言葉と文化の壁を越えて発信できる強みがあります。

さらに生成ＡＩの分野でも、各国で規制や反対運動が始まる中、日本は上手な形で社会に取り込もうという政策や姿勢が顕著です。

一方で、スマホも生成ＡＩも新しいテクノロジー。本書で説明したようなネガティブキャンペーンがつきものです。

しかし、ことスマホに関しては、すでに科学的な研究が積み重なってきています。

だからこそ、スマホをこれまでの呪縛から解き放って、私たち自身の目線を効果的なスマホの特長に向けることが本書の試みです。

そうすることで、藤原大先輩のおっしゃっていたような新しい教育とテクノロジーの融合が起きることを、今後もさらに後押ししていけたら幸いです。


スマホは、もっともっとアクティブに、ポジティブに使うことができる。

教育や学び、仕事や日常生活でも。

科学ベースでアプローチして、スマホで脳のゴールデンタイムを作りましょう！

２０２３年９月

星　友啓

- Lewis-Peacock JA & Norman K(2014)"Competition between items in working memory leads to forgetting." *Nature Communications*, 5:5768.
- Rosen LD, Lim AF, Carrier LM & Cheever NA(2011) "An Empirical Examination of the Educational Impact of Text Message-Induced Task Switching in the Classroom: Educational Implications and Strategies to Enhance Learning." *Psicología Educativa*, 17:163-177.
- Gardner B & Lally P(2018) "Modeling habit formation and its determinants." In B. Verplanken(Ed.), *The Psychology of Habit*(pp.207-229). Springer:New York.

Humaniora, 8：231-239. 10.21512/humaniora.v8i3.3620.
- Algoe SB, Haidt J & Gable SL（2008）"Beyond reciprocity：Gratitude and relationships in everyday life." *Emotion*, 8（3）：425-429.
- Algoe SB, Gable SL & Maisel NC（2010）"It's the little things：Everyday gratitude as a booster shot for romantic relationships." *Personal Relationships*, 17（2）：217-233.

第5章

- Pew Research Center（2021）"Mobile Fact Sheet"
- Han DH, Hyun GJ, Park JH & Renshaw PF（2016）"Internet Gaming Disorder." In V. R. Preedy（Ed.）, *Neuropathology of Drug Addictions and Substance Misuse*（pp.955-961）. Academic Press：USA.
- Ryan RM & Deci EL（2017）*Self-determination theory：Basic psychological needs in motivation, development, and wellness.* The Guilford Press：USA.
- Horwood S & Anglim J（2018）"Personality and problematic smartphone use：A facet-level analysis using the Five Factor Model and HEXACO frameworks." *Computers in Human Behavior*, 85：349-359.
- Pew Research Center（2020）Share of parents in the United States who limit when or how their child aged 5 to 11 uses smartphones and the internet as of March 2020 [Graph]. In *Statista.* Retrieved September 01, 2023, from https://www.statista.com/statistics/439801/us-parent-interest-child-online-activities/
- Dehaene S（2020）*How We Learn：Why Brains Learn Better Than Any Machine... for Now*, Viking：USA.
- Rosen LD, Carrier LM & Cheever NA（2013）"Facebook and texting made me do it：Media-induced task-switching while studying." *Computers in Human Behavior*, 29（3）：948-958.

Psychology, 32:647–661.
- Nolen-Hoeksema S & Davis CG(1999) "Thanks for sharing that":Ruminators and their social support networks." *Journal of Personality and Social Psychology*, 77:801–814.
- Kasser T & Ryan RM(1993) "A dark side of the American dream:Correlates of financial success as a central life aspiration." *Journal of Personality and Social Psychology*, 65(2):410–422.
- Kasser T & Ryan RM(1996) "Further Examining the American Dream:Differential Correlates of Intrinsic and Extrinsic Goals." *Personality and Social Psychology Bulletin*, 22(3):280–287.
- Williams GC, Cox EM, Hedberg V & Deci EL(2000)"Extrinsic life goals and health risk behaviors in adolescents." *Journal of Applied Social Psychology*, 30:1756–1771.
- Kasser T & Ryan RM(2001)"Be careful what you wish for: Optimal functioning and the relative attainment of intrinsic and extrinsic goals." In P. Schmuck & K. M. Sheldon(Eds.), *Life goals and well-being: Towards a positive psychology of human striving*(p.116–131). Hogrefe & Huber Publishers:USA.
- Mills PJ *et al.*(2015)"The role of gratitude in spiritual well-being in asymptomatic heart failure patients." *Spirituality in Clinical Practice*, 2(1):5–17.
- Sirois FM & Wood AM(2016) "Gratitude uniquely predicts lower depression in chronic illness populations:A longitudinal study of inflammatory bowel disease and arthritis." *Health Psychology*, 36(2):122–132.
- McCullough ME, Emmons RA & Tsang JA(2002) "The grateful disposition:A conceptual and empirical topography." *Journal of Personality and Social Psychology*, 82(1):112–127.
- Winata C & Andangsari E(2017) "Dispositional Gratitude and Social Comparison Orientation among Social Media Users."

- Beaty RE, *et al.*(2018)"Robust Prediction of Individual Creative Ability from Brain Functional Connectivity." *Proceedings of the National Academy of Sciences*, 115(5): 1087-1092.
- 『脳科学が明かした！ 結果が出る最強の勉強法』星友啓著　光文社　2021年
- DeskTime(2018) "The secret of the 10% most productive people? Breaking!"

第4章

- Hancock JT, Liu SX, Luo M & Mieczkowski H(2022) "Social media and psychological well-being." In S. C. Matz(Ed.), *The psychology of technology: Social science research in the age of Big Data*(pp.195-238). American Psychological Association.
- Brackett MA(2019) *Permission to Feel: unlocking the power of emotions to help our kids, ourselves, and our society thrive.* Celadon Books: New York.
- Nolen-Hoeksema S, Wisco BE & Lyubomirsky S(2008) "Rethinking rumination." *Perspectives on Psychological Science*, 3: 400-424
- Nolen-Hoeksema S & Watkins ER(2011) "A heuristic for developing transdiagnostic models of psychopathology: explaining multifinality and divergent trajectories." *Perspectives on Psychological Science*, 6: 589-609.
- Nolen-Hoeksema S, Stice E, Wade E & Bohon C(2007) "Reciprocal relations between rumination and bulimic, substance abuse, and depressive symptoms in female adolescents." *Journal of Abnormal Psychology*, 116: 198-207.
- Rimé B(2009) "Emotion Elicits the Social Sharing of Emotion: Theory and Empirical Review." *Emotion Review*, 1(1): 60-85.
- Singh-Manoux A & Finkenauer C(2001) "Cultural Variations in Social Sharing of Emotions." *Journal of Cross-Cultural*

Public Interest, 14(1):4-58.
- Kellogg RT(2001) "Competition for Working Memory among Writing Processes." *The American Journal of Psychology*, 114(2):175-191.
- Nadel L, Hupbach A, Gomez R & Newman-Smith K(2012) "Memory formation, consolidation and transformation." *Neuroscience and Biobehavioral Reviews*, 36(7):1640-1645.
- Roediger HL, Putnam AL, Smith MA(2011) "Ten benefits of testing and their applications to educational practice." *Psychology of Learning and Motivation*, 44:1-36.
- Veenman MVJ, Van Hout-Wolters BHAM & Afflerbach P(2006) "Metacognition and learning:conceptual and methodological considerations." *Metacognition Learning*, 1:3-14.

第3章

- Dale G, Joessel A, Bavelier D & Green CS(2020) "A new look at the cognitive neuroscience of video game play." *Annals of the New York Academy of Sciences*, 1464(1):192-203.
- Sourmelis T, Ioannou A & Zaphiris P(2017) "Massively Multiplayer Online Role Playing Games(MMORPGs) and the 21st century skills:A comprehensive research review from 2010 to 2016." *Computers in Human Behavior*, 67:41-48.
- Rahimi S & Shute VJ(2020) "The Effects of Video Games on Creativity:A Systematic Review."
- Toh W & Kirschner D(2023)"Developing social-emotional concepts for learning with video games." *Computers & Education*, 194:104708.
- Blumberg FC(2014) *Learning by playing:Video gaming in education*. Oxford University Press:New York.
- Martinez L, Gimenes M & Lambert E(2023) "Video games and board games:Effects of playing practice on cognition." *PLOS ONE*, 18(3):e0283654.

Research and Practice." *TechTrends*, 59:66-74.

- Cheng L, Pastore R & Ritzhaupt AD(2022) "Examining the Accelerated Playback Hypothesis of Time-Compression in Multimedia Learning Environments:A Meta-Analysis Study." *Journal of Educational Computing Research*, 60(3):579-598.
- Cavanagh TM & Kiersch C(2023) "Using commonly-available technologies to create online multimedia lessons through the application of the Cognitive Theory of Multimedia Learning." *Education Technology Research Development*, 71:1033-1053.
- Baddeley A(2003) "Working memory:looking back and looking forward." *Nature Reviews Neuroscience*, 4,:829-839.
- Cowan N(2008) "What are the differences between long-term, short-term, and working memory?" *Progress in Brain Research*, 169:323-338.
- Cowan N(2010) "The Magical Mystery Four:How is Working Memory Capacity Limited, and Why?" *Current Directions in Psychological Science*, 19(1):51-57.
- Menendez D, Rosengren KS & Alibali MW(2020) "Do details bug you? Effects of perceptual richness in learning about biological change"*Applied Cognitive Psychology*, 34(5):1101-1117.
- Jansen RS, Lakens D & IJsselsteijn WA(2017) "An integrative review of the cognitive costs and benefits of note-taking." *Educational Research Review*, 22:223-233.
- Wong SSH & Lim SWH(2023) "Take notes, not photos: Mind-wandering mediates the impact of note-taking strategies on video-recorded lecture learning performance." *Journal of Experimental Psychology:Applied*, 29(1):124-135.
- Dunlosky J, Rawson KA, Marsh EJ, Nathan MJ & Willingham DT(2013) "Improving Students' Learning With Effective Learning Techniques:Promising Directions From Cognitive and Educational Psychology." *Psychological Science in the*

psychology of technology: Social science research in the age of Big Data(pp.195-238). American Psychological Association.
- Dupont D, Zhu Q & Gilbert SJ(2023) "Value-based routing of delayed intentions into brain-based versus external memory stores." *Journal of Experimental Psychology: General*, 152(1): 175-187.
- Odgers C(2018) "Smartphones are bad for some teens, not all." *Nature*, 554: 432-434.
- Mills KL(2016) "Possible Effects of Internet Use on Cognitive Development in Adolescence." *Media and Communication*, 4. 4. 10.17645/mac.v4i3.516.
- Ito TA, Larsen JT, Smith NK & Cacioppo JT(1998) "Negative Information Weighs More Heavily on the Brain." *Journal of Personality and Social Psychology*, 75(4): 887-900.
- Reeves B, Robinson T & Ram N(2020) "Time for the Human Screenome Project." *Nature*, 577: 314-317

第2章

- Wolf MC, *et al.*(2019) "The relationship between reading and listening comprehension: shared and modality-specific components." *Reading and Writing*, 32: 1747-1767.
- Buchweitz A, Mason R, Tomitch L & Just MA(2009) "Brain activation for reading and listening comprehension: An fMRI study of modality effects and individual differences in language comprehension." *Psychology and Neuroscience*, 2(2): 111-123.
- Kross E(2021) *Chatter: The voice in our head, why it matters, and how to harness it.* Crown: New York.
- Alderson-Day B & Fernyhough C(2015) "Inner Speech: Development, Cognitive Functions, Phenomenology, and Neurobiology." *Psychological Bulletin*, 141(5): 931-965.
- Pastore R & Ritzhaupt AD(2015) "Using Time-Compression To Make Multimedia Learning More Efficient: Current

参考文献

序章

- Pew Research Center(2019) "Mobile Connectivity in Emerging Economies"
- Pew Research Center(2020) "Parenting Children in the Age of Screens"
- Vorhaus Advisors(2022) "Time spent using smartphone per week in the United States in 2022, by age"
- eMarketer(2022) "Time spent with nonvoice activities on mobile phones every day in the United States from 2019 to 2024(in minutes)" In *Statista*. Retrieved September 01, 2023, from https://www.statista.com/statistics/1045353/mobile-device-daily-usage-time-in-the-us/
- Data.ai(2023)"Average daily hours spent on mobile per user in the Asia-Pacific region from 2019 to 2022, by country"
- YouGov(2019) "I waste too much time using my smartphone"
- YouGov(2019) "I think I could be more productive if I didn't have my smartphone with me"

第1章

- Pew Research Center(2019) "Mobile Connectivity in Emerging Economies"
- Pew Research Center(2020) "Parenting Children in the Age of Screens"
- Liu J, Riesch S, Tien J, Lipman T, Pinto-Martin J & O'Sullivan A(2022) "Screen Media Overuse and Associated Physical, Cognitive, and Emotional/Behavioral Outcomes in Children and Adolescents:An Integrative Review." *Journal of Pediatric Health Care*, 36(2):99-109.
- Hancock JT, Liu SX, Luo M & Mieczkowski H(2022) "Social media and psychological well-being." In S. C. Matz(Ed.), *The*

星　友啓 ほし・ともひろ
1977年、東京生まれ。スタンフォード・オンラインハイスクール校長。哲学博士。Education; EdTechコンサルタント。2001年、東京大学文学部思想文化学科哲学専修課程卒業。02年より渡米、03年、テキサスA&M大学哲学修士修了。08年、スタンフォード大学哲学博士修了後、同大学哲学部講師として論理学で教鞭をとりながら、スタンフォード・オンラインハイスクールスタートアッププロジェクトに参加。16年より校長に就任。現職の傍ら、哲学、論理学、リーダーシップの講義活動や、米国、アジアにむけて、教育及び教育関連テクノロジー（EdTech）のコンサルティングにも取り組む。著書に、『スタンフォード式生き抜く力』（ダイヤモンド社）、『スタンフォードが中高生に教えていること』『「ダメ子育て」を科学が変える！　全米トップ校が親に教える57のこと』（SB新書）、『脳科学が明かした！　結果が出る最強の勉強法』（光文社）、『全米トップ校が教える　自己肯定感の育て方』（朝日新書）、『子どもの考える力を伸ばす教科書』（大和書房）がある。【公式サイト】https://tomohirohoshi.com/

朝日新書
930
脳を活かすスマホ術
スタンフォード哲学博士が教える知的活用法

2023年10月30日第1刷発行

著者　星　友啓

発行者　宇都宮健太朗
カバーデザイン　アンスガー・フォルマー　田嶋佳子
印刷所　TOPPAN株式会社
発行所　朝日新聞出版
〒104-8011　東京都中央区築地5-3-2
電話　03-5541-8832（編集）
　　　03-5540-7793（販売）
©2023 Hoshi Tomohiro
Published in Japan by Asahi Shimbun Publications Inc.
ISBN 978-4-02-295237-0
定価はカバーに表示してあります。
落丁・乱丁の場合は弊社業務部(電話03-5540-7800)へご連絡ください。
送料弊社負担にてお取り替えいたします。

朝日新書

学校がウソくさい
新時代の教育改造ルール

藤原和博

学校は社会の縮図。その現場がいつの時代にもましてウソくさくなっている。特に公立の義務教育の場が著しい。社会からの十重二十重のプレッシャーで虚像になってしまった学校の実態に、「原点回帰」の処方を示す。教育改革実践家の著者によるリアルな提言書！

人口亡国
移民で生まれ変わるニッポン

毛受敏浩

〝移民政策〟を避けてきた日本を人口減少の大津波が襲っている。GDP世界3位も30年後には8位という並の国に。まだ日本に魅力が残っている今、外国人から移民先として選ばれる政策をはっきりと打ち出し、この国を支える人たちを迎え入れてこそ将来像が描ける。

マッチング・アプリ症候群
婚活沼に棲む人々

速水由紀子

婚活アプリで1年半に200人とマッチングしてみたところ、「富豪イケオジ」「筋モテ」「超年下」「写真詐欺」「ヤリモク」……〝婚活沼〟の底には驚くべき生態が広がっていた！　合理的なツールか、やはり危険な出会い系なのか。「2人で退会」の夢を叶えるための処方箋とは。

問題はロシアより、むしろアメリカだ
第三次世界大戦に突入した世界

エマニュエル・トッド
池上　彰

世界の頭脳であるフランス人人口学者のエマニュエル・トッド氏と、ジャーナリストの池上彰氏が、ウクライナ戦争後の世界を読み解く。覇権国家として君臨してきたアメリカの力が弱まり、多極化、多様化する世界が訪れる――。全3日にわたる白熱対談！

朝日新書

60歳から めきめき元気になる人
「退職不安」を吹き飛ばす秘訣

榎本博明

退職すれば自分の「役割」や「居場所」がなくなると迷い悩むのは間違い！　やっと自由の身になり、これから輝くのだ。残り時間が気になり始める50代、離職して途方に暮れている60代、70代。そんな方々のために、心理学博士がイキイキ人生へのヒントを示す。

アベノミクスは何を殺したか
日本の知性13人との闘論

原　真人

「日本経済が良くなるなんて思っていなかった、でもやるしかなかった」（日銀元理事）。史上最悪の社会実験「アベノミクス」はなぜ止められなかったか。どれだけの禍根が今後襲うか。水野和夫、佐伯啓思、藻谷浩介、翁邦雄、白川方明ら経済の泰斗と徹底検証する。

教育は遺伝に勝てるか？

安藤寿康

遺伝が学力に強く影響することは、もはや周知の事実だが、誤解も多い。本書は遺伝学の最新知見を平易に紹介し、理想論でも奇麗事でもない「その人にとっての成功」（＝自分で稼げる能力を見つけ伸ばす）はいかにして可能かを詳説。教育の可能性を探る。

シン・男がつらいよ
右肩下がりの時代の男性受難

奥田祥子

「ガッツ」重視の就活に始まり、妻子の経済的支柱たることを課せられ、育休をとれば、肩書を失えば、同僚らから蔑視される被抑圧性。「男らしさ」のジェンダー規範を具現化できず苦しむ男性が増えている。誰もが生きやすい社会を、詳細ルポを通して考える。

朝日新書

高校野球　名将の流儀
世界一の日本野球はこうして作られた
朝日新聞スポーツ部

WBC優勝で世界一を証明した日本野球。その「心・技・体」の基礎を築いた高校野球の名監督たちの哲学に迫る。村上宗隆、山田哲人など、WBC優勝メンバーへの教えも紹介。松井秀喜や投手時代のイチローなど、球界のレジェンドたちの貴重な高校時代も。

「深みのある人」がやっていること
齋藤　孝

老境に差し掛かるころには、人の「深み」の差は歴然と表れる。そして深みのある人は周囲から尊敬を集める。だが、そもそも深みとは何なのか。「あの人は深い」と言われる人が持つ考え方や習慣とは。深みの本質と出し方を、人気教授が解説。

天下人の攻城戦
15の城攻めに見る信長・秀吉・家康の智略
渡邊大門／編著

信長の本願寺攻め、秀吉の備中高松城水攻め、真田丸の攻防をはじめ、戦国期を代表する15の攻城戦を徹底解剖！「城攻め」から見えてくる3人の天下人の戦術・戦略とは？　最新の知見をもとに、第一線の研究者たちが合戦へと至る背景、戦後処理などを詳説する。

新しい戦前
この国の〝いま〟を読み解く
内田　樹
白井　聡

「新しい戦前」ともいわれる時代を〝知の巨人〟と〝気鋭の政治学者〟は、どのように捉えているのか。日本政治と暴力・テロ、防衛政策転換の落とし穴、米中対立やウクライナ戦争をめぐる日本社会の反応など、歴史の転換期とされるこの国の〝いま〟を考える。

朝日新書

動乱の日本戦国史
桶狭間の戦いから関ヶ原の戦いまで
呉座勇一

教科書や小説に描かれる戦国時代の合戦は疑ってかかるべし。信長の鉄砲三段撃ち（長篠の戦い）、家康の問鉄砲（関ヶ原の戦い）などは後世の捏造だ！　戦国時代を象徴する六つの戦いについて、最新の研究結果を紹介し、その実態に迫る！

プア・ジャパン
気がつけば「貧困大国」
野口悠紀雄

かつて「ジャパン・アズ・ナンバーワン」とまで称されたわが国は大きく凋落し、購買力は1960年代のレベルまで下落した。経済大国から貧困大国に変貌しつつある日本経済の現状と復活策を、60年間世界をみつめた経済学の泰斗が明らかにする。

鵺（ぬえ）の政権
ドキュメント岸田官邸620日
朝日新聞政治部

朝日新聞大反響連載、待望の書籍化！　岸田政権の最大の危うさは「状況追従主義」にある。ビジョンと熟慮に欠け求心力がない。稚拙な政策のツケはやがて国民に及ぶ。つかみどころのない〝鵺〟のような虚像の正体に迫る渾身のルポ。

よもだ俳人子規の艶
夏井いつき
奥田瑛二

34年の短い生涯で約2万5千もの俳句を残した正岡子規。中には遊里や遊女を詠んだ句も意外に多く、ユーモアや反骨精神、ダンディズムなどが味わえる。そんな子規俳句を縦横無尽に読み込む、松山・東京・道後にわたる全三夜の子規トーク！

人類滅亡2つのシナリオ
AIと遺伝子操作が悪用された未来
小川和也

急速に進化する、AIとゲノム編集技術。画期的な技術ゆえ、制度設計の不備に〝悪意〟が付け込めば、人類の未来は大きく暗転する。「デザイナーベビーの量産」、「〝超知能〟による支配」……。想定しうる最悪な未来と回避策を示す。

朝日新書

訂正する力
東 浩紀

日本にいま必要なのは「訂正する力」です。保守とリベラルの対話にも、成熟した国のありかたや老いを肯定するためにも、さらにはビジネスにおける組織論、日本の思想や歴史理解にも役立つ、隠れた力を解き明かします。デビュー30周年の決定版。

日本三大幕府を解剖する
鎌倉・室町・江戸幕府の特色と内幕
河合 敦

三大武家政権の誕生から崩壊までを徹底解説！ 源頼朝・足利尊氏・徳川家康は、いかにして天皇権力と対峙し、幕府体制を確立させたのか？ 歴史時代小説読者&大河ドラマファン、必読！ 1冊で三大幕府がマスターできる、画期的な歴史新書!!

安倍晋三 vs. 日刊ゲンダイ
「強権政治」との10年戦争
小塚かおる

創刊以来「権力に媚びない」姿勢を貫いているというこの夕刊紙は、「安保法制」「モリ・カケ・桜」など第2次安倍政権の「大罪」に、どう立ち向かったか。同紙の第一編集局長が戦いの軌跡を公開し、徹底検証する。これが「歴史法廷」の最終報告書！

食料危機の未来年表
そして日本人が飢える日
高橋五郎

日本は食料自給率18%の「隠れ飢餓国」だった！ 有事における穀物支配国の動向やサプライチェーンの分断、先進国の食料争奪戦など、日本の食料安全保障は深刻な危機に直面している。世界182か国の食料自給率を同一基準で算出し世界初公開。

脳を活かすスマホ術
スタンフォード哲学博士が教える知的活用法
星 友啓

スマホをどのように使えば脳に良いのか。〈インプット〉〈エンゲージメント〉〈ウェルビーイング〉〈モチベーション〉というスマホの4大長所を、ポジティブに活用するメソッドを紹介。アメリカの最新研究に基づく「脳のゴールデンタイム」をつくるスマホ術！